明治の日本

宮内庁書陵部所蔵写真

武部敏夫・中村一紀 編

吉川弘文館

横浜山手公園演奏会場における陸軍教導団楽隊

明治15年(1882)10月3日、陸軍教導団楽隊が横浜山手公園において行なった演奏会の時の写真とされる。日本の陸軍軍楽隊は明治4年に英国式軍楽を模範として創設されたが、翌年これを廃して仏国式に改めた。その際教師として招聘されたのがフランス人ダグロンGustave C. Dagronであり、彼は以来11年間日本に滞在して陸軍軍楽隊の基礎を確立した。写真中央の口髭を蓄えた人物がダグロンといわれている。

大隈重信邸

旧江戸城雉子橋門外(現東京都千代田区一ツ橋１丁目)に大隈が新築した建物で、明治９年(1876)10月から17年３月早稲田に転居するまで住んだ。写真に見える桜樹はもともとあったもので、それらをもって庭園の主木としたという。11年４月８日に天皇の行幸があり、「桜花爛漫たる庭上を逍遙」した。写真はその頃のものか。

常　盤　橋

現東京都中央区日本橋本町。江戸城外堀に架けられた橋で、明治10年(1878)に写真の石橋に架け替えられた。濠の左岸一帯は江戸時代に金座があったところで、その場所に、29年辰野金吾設計による日本銀行本店(現存)が建てられるが、写真はそれ以前の状況である。橋は現存するが、高速道路がおおいかぶさるように走り、昔日の面影は全くない。写真奥にかすかに見えるのは一石橋。

端 艇 競 漕

本文の東京都-図87に掲出した。７枚組写真の１枚。無着色写真。

明治の日本

—宮内庁書陵部所蔵写真—

目　　次

はじめに

今回ここに刊行する写真群は、現在宮内庁書陵部の所蔵にかかる『各種写真』（番号B９-32）と題される写真帖に収録されているもので、その収めるところは、おおよそ明治初期から30年代にかけての国内諸地域の写真を主とし、ほかに清国・韓国・ロシア・アメリカ・オーストラリアなどの外国の風景・人物などである。国内写真では、秋田・茨城・和歌山・香川・愛媛・高知・佐賀・大分の８県を欠くが、北海道から沖縄までの39都道府県の写真を収録する。その内外あわせての収録写真の総数は1940枚に達し、そのうちの10枚が巻頭に載せたような着色写真である。

この写真帖は、昭和12年（1937）に当時の宮内省の侍従職から、同じく図書寮（現宮内庁書陵部）に引き継がれた多数の写真アルバムなどのうちの一つで、その引継書類中には明治期の「御手許写真」と記されていることから、もとは明治天皇のお手許に上ったものであることが知られる。その形態は大小12のアルバムからなり、図書寮に引き継がれた当初は１帖ずつの単体であったが、これを図書寮で１部12帖の写真帖として整理し、書名を『各種写真』と題したものである。また、各帖の写真の貼付は侍従職で行なったのであるが、それは受入順あるいは県別のように、一定の準則に従って行なわれたのではなく、ある程度まとまった時点で随意貼り込まれたように思える。

次にこの写真帖の内容については、すでに書陵部の『和漢図書分類目録』上巻（昭和27年）の１頁から３頁にかけて記載されているので概要を知ることが出来る。但し、その目録では員数を36と記しているが、これは12の写真帖の第１帖目がすでに破損していて、各台紙ごとの状態になっていたため、その台紙数25枚に他の11帖を足した数である。したがって本来の員数は12帖であるべきである。

さて、今回刊行するについて、更めて各写真を調査し部類してみたところ、行幸・災害・その他、および外国写真に大別することができるので、ここでそれぞれについて略述しておく。

行幸諸県の写真　写真帖の大半を占めるのは、明治天皇の行幸した道府県の写真である。天皇は帝国議会開院式をはじめ東京市中の各所にしばしば臨幸しているが、他方明治５年（1872）か

『各種写真』第３帖

ら18年に至るまでの間、六大巡幸と呼ばれる民情視察のための行幸を行い、その足跡は延べ50道府県にもおよぶ。このほか陸軍大演習の親閲のための行幸もあり、在位中の行幸は100回近くを数える。この写真帖に収録されて行幸先として挙げられる地域は、北海道・東京・京都及び、宮城・山形・福島・栃木・群馬・埼玉・千葉・新潟・富山・石川・福井・山梨・長野・岐阜・三重・滋賀・兵庫・広島・鹿児島の22都道府県である。

これらの写真は、天皇の臨幸先にとどまらず、広く行幸県内における教育・軍事・殖産興業・民生などの諸施設をはじめ、山間僻村の住民の生活ぶりや寺社・名勝に及んでいる。また、島根県のように実際の行幸はなかったものの県状を示す写真の存する県もあり、これなどはおそらく、民情の収集が周辺の県にも及んだことを物語っている。これらはすべて、明治初中期の社会の状況を今に伝える貴重な資料であるが、とりわけて広範囲な地域にわたる写真の収められていることは、この写真帖の特色といえよう。

ところで、これら行幸地の写真はいかにして侍従職に集まってきたのであろうか。この点について、『明治天皇紀』（宮内庁編刊）の巡幸中の記述の中には、写真についての記事が散見される。それによれば、13年の山梨三重京都巡幸と14年の山形秋田北海道巡幸では、名前は記されていないが大蔵省印刷局の写真師が供奉している。この供奉が公式の記録のためであったかどうかは明確でないが、ともかくも写真師は天皇の命により行幸先の名勝史跡などを撮影しており、また、自らの判断によっても撮影することが許されていて、出来上がった写真は巡幸中に天皇のもとへ上げられている。ほかに、県の写真師による撮影も行なわれていたようで、18年の広島行幸では景勝地の撮影を県官に命じている記事がみえる。更に、『明治天皇紀』では触れられていないが、５年の西国巡幸の際には海軍省の雇いとして写真師の内田九一が供奉していたことも知られている。

このような供奉の写真師や県の写真師の撮影によるもののほか、臨幸先の町村などから近辺の名勝等の写真を献上する例もみられる。例えば、11年に行われた北陸東海両道巡幸の際には、群馬県高崎において上野国名勝写真75枚が、石川県高岡御昼餐所（現富山県）においては射水郡の名勝写真18枚がお手許に上っている。また、13年の山梨三重京都巡幸の途次、滋賀県草津に行幸しているが、その際三雲村（現甲賀郡甲西町三雲）戸長から村内妙感寺にある万里小路藤房の墓の写真が献上されている。本写真帖にはこれらの写真とおぼしきものが含まれており、枚数もほぼ一致するので、それらに該当するかと思われる。このようにして、一巡幸である程度の数の写真が集まってきたと考えられるが、しかしいずれの場合もリストが伝わっていないため詳細は不明で、写真帖に貼られている行幸写真の個々を特定することはできない。

災害写真　行幸写真に次いでまとまっているものは、明治20年代に各地を襲った災害の写真で、220枚ほどを数える。この写真帖に収めるところは青森・岩手・宮城・福島・新潟・福井・長野・岐阜・静岡・愛知・滋賀・鳥取・岡山・徳島・長崎の災害写真で、罹災後間もない頃の生々しい状況を現代に伝える貴重な資料である。天皇は災害に際しては救恤金を下賜し、時に侍従を差遣して被害状況を視察せしめるのを例としたが、ここに収められた写真の中には現在も県に保存されているものがあり、鳥取県では県内に数セットが確認されているというから、県が撮影した写真を被害の状況報告も兼ねて献上したものと思われ、差遣侍従が復命の際に説明の資料に用いたとも推測されよう。このように諸県の災害写真がまとまっていることは珍しく、行幸写真と共にこの写真帖ならではのものであろう。

その他　行幸・災害以外の諸県写真、またはその折々にトピックスとなった事柄、あるいは美術会出品書画等の写真である。諸県写真では沖縄県首里城の旧跡や琉球の民俗、小笠原諸島の風景、奈良県の社寺仏像写真などがある。トピックスでは、北海道開拓使関連写真（北海道)、金星の太陽前面通過の写真（７年、東京都)、西南戦争における熊本市内の状況（10年、熊本県)、青森岩手両県内における東北線完成直前の頃の写真（24年、青森・岩手県)、郡司大尉の占守島《しゆむしゆとう》への出港写真（26年、神奈川県）などのような写真が収められている。

外国写真　最後に外国の写真がある。清国の都邑、軍隊や要人の肖像、韓国釜山などの日本人居留地、米国の百年博覧会、オーストラリアの風景など凡そ200点が収録されている。

以上は『各種写真』の概略であるが、この度の刊行にあたっては、国内写真のみを対象とし、外国写真は掲出しなかった。また国内写真の中でも退色等の劣化により判読しにくくなった写真ははずし、数枚からなる組写真では被写体がより具体性のあるものを選択したものもあり、全体の約半数の966枚を掲出した。

次に写真の配列は、『各種写真』の構成を離れて国内写真を県別に区分し、北海道よりはじめて沖縄県まで順次掲出した。掲出できなかったものについては、各写真に付されている原タイトルの一覧を本書の巻尾に掲げたので参照願いたい。また、本書で各写真に付したタイトルは原タイトルによったが、付されていない写真には適宜付した。

（中 村 一 紀）

北海道

1　仮　庁 五号　開拓使仮庁。明治4年(1871)札幌、開拓使御用写真師田本研造撮影。開拓使は当初東京に本庁を置いたが、明治3年に函館、ついで4年に札幌に移された。その庁舎は5年7月に着工し6年12月に完成したが、その間この仮庁舎を使用していた。入口左の箱は目安箱と思われる。

2　仮庁内ヨリ西北ノ方ヲ望ム　六号

3　仮庁ヨリ東北ノ方ヲ眺ム　拾号

4　本　陣　四号　明治4年(1871)、開拓使御用写真師田本研造撮影。江戸時代に各宿場に置かれた本陣と同様のもので、明治4年7月官吏の宿泊施設として当時の札幌南一条東一丁目に竣工した。しかし同12月には一般人の宿泊も許し旅籠屋並《はたごやなみ》と改称、ついで旅籠屋と改められた。手前の川は創成川、掛かる橋は創成橋。

5　**箱館開拓支庁　十七号**　明治9年(1876)、開拓使御用写真師田本研造撮影。開拓使函館支庁。明治天皇は明治9年と14年の二度の北海道行幸で、両度とも函館支庁(明治5年開庁)に臨幸した。写真は、9年7月の臨幸時のもの。

6　樺戸集治監

7　樺戸集治監

8　樺戸集治監　石狩川越しに見た集治監。

9　釧路国標茶監獄署全景

樺戸集治監・釧路国標茶監獄署　樺戸集治監は明治14年(1881) 9 月現空知支庁樺戸郡月形町に開庁した北海道初の刑務所で、標茶監獄署は18年現上川郡標茶町に開庁した。集治監・監獄署は現在の刑務所にあたり、当初は集治監と呼ばれたが、明治20年に監獄署と改称された。しかし23年になりまた集治監に戻された。このほか、15年には空知集治監(現三笠市)が開庁している。同24年には樺戸を本監、他二つを分監とし名称も北海道集治監と改称したが、大正 8 年(1919)に廃止になった。囚人たちはおもに開拓のための道路工事や石炭の採掘などの労働力として使役された。

幌内鉄道　幌内鉄道は、幌内・札幌・小樽・手宮の90.2kmを結ぶ路線で、現在の函館本線幌向―小樽間にあたる北海道で最初の鉄道。幌内炭山から産出された石炭の運炭鉄道としてまた開拓鉄道としての使命を持ち、明治15年(1882)11月13日に開通した。本州の鉄道がイギリス人技師の設計によるイギリス式鉄道であったのに対し、北海道は明治４年に開拓使次官黒田清隆がアメリカ農務局長ホレス＝ケプロンを招聘し開拓計画を依頼した関係で、鉄道もアメリカ式となった。図10の札幌停車場に見える機関車は、まさに西部開拓当時のアメリカを思わせるものがある。この機関車はＨ・Ｋポーター社製7100型で、日本では「義経」「弁慶」「静」などと命名された。

10　幌内鉄道 札幌停車場之図

11　幌内鉄道 札幌招魂碑前線路之図　招魂碑は、西南戦争で戦死・殉職した屯田兵の招魂碑で、明治11年(1878)、現札幌市北区北六条西七丁目にあった偕楽園前に建てられた。

12　幌内鉄道 野幌陸橋之図

13　幌内鉄道 豊平河鉄橋之図

14　幌内鉄道 勝納川橋梁之図

15　幌内鉄道 江別川橋梁之図

16　幌内鉄道 江別橋東曠原之図

17　幌内鉄道 神威古潭線路之図

18　幌内鉄道 第三若竹町第四熊碓隧道之図

19　手宮鉄道桟橋之図 第一　現小樽市手宮。手宮桟橋は、幌内鉄道建設用資材などの陸揚げ用として鉄道開通の2年前、明治13年(1880)10月アメリカ人技師クローフォードにより小樽港に築造された。全長405.4ｍの木造桟橋。14年北海道に行幸した天皇は、この桟橋から上陸した。図20は幌内鉄道の終点手宮駅。手宮駅は昭和60年(1985)、手宮線の廃線により約100年の歴史を閉じた。中央の岬は高島岬。

20　手宮鉄道桟橋之図 第二

21　幌内鉄道 幌内太停車場構内之図　幌内太停車場はのちの幌内線三笠駅であるが、幌内線は昭和62年(1987)に廃線となった。

22　幌内鉄道 幌内炭山ヨリ第六隧道ヲ望ム図

23　幌内炭山之図 第一本坑沢ヲ望ム　幌内炭坑は、明治はじめから地元民により石炭が発見されていたが、ケプロンにより改めて炭坑が確認され、明治13年(1880)に開鉱し、同15年工部省に帰属した。幌内鉄道の終点にあった。

24　幌内炭山之図 第二右滝之沢左本沢ニ至ル輸車路ヲ望ム

25　札幌全図 其六

26　札幌全図 其五

札幌全図　明治12年(1879)、開拓使御用写真師武林盛撮影。現在の駅前通りと北一条通の交差点付近から創成川に向かって撮影したと思われるパノラマ写真。図25は明治８年に開拓使仮学校を東京から移転改称した札幌農学校で９年８月に開校した。現北海道大学の前身。左端の建物は講堂、中央が演武場、右は寄宿舎、手前の建物は開拓使判官の官舎。演武場は、現在の札幌時計台で、当初は鐘楼であった。14年７月に改造され、現在のような時計台となった。図26の右奥で足場が組まれた建築中の建物は13年に完成する豊平館である。当初の札幌は創成川を挟んで東側を市街地とし、西側を官庁街とした。写真奥は市街地の様子で民家が密集している。

27　札幌全図 其四

29　札幌全図 其二

28　札幌全図 其三

30　札幌全図 其一

31　札幌本村 三号　明治初年ころの札幌。中央の川は創成川。

32　豊平川 八号　本陣より南山を望む。明治 5 年(1872)ころ。

33　平岸村 九号　明治 4 年(1871)、開拓使御用写真師田本研造撮影。現札幌市豊平区平岸。豊平川右岸の開拓地の様子。

34　丘珠村 十一号　明治４年(1871)撮影。現札幌市東区丘珠《おかだま》町。なお、図34・35は北海道大学にも同じ写真が所蔵されていて、タイトルは「一の村」とする。

35　丘珠村ノ内 二枚ノ内十二号

36　篠路村 十四号　明治４年(1871)撮影。現札幌市北区篠路《しのろ》町。石狩川下流の左岸地域。

37　箱館港 十六号　明治9年(1876)、開拓使御用写真師田本研造撮影。函館港。明治天皇は、明治9年東奥巡幸の帰途函館に立寄り、2泊ののち海路帰京した。写真はその時の函館港の様子で、中央にみえる大型艦船は天皇の御召艦「明治丸」である。「明治丸」はイギリスで建造された灯台視察船で、現在東京商船大学に保存されている。

39　室蘭港エトスケレップ

40　室蘭港エトスケレップ
室蘭港東側の岬の景色。

38　桔梗村御小休所ヨリ函館ヲ眺ムル図 十八号　明治９年(1876)、開拓使御用写真師田本研造撮影。明治９年７月17日、明治天皇は開拓使直轄の七重勧業課試験場に臨幸の途次、亀田村を経て桔梗村にて休息、同村の牧場を視察した。なお、原題は写真帖の次葉にある「桔梗村御小休所ノ景 十九号」の誤りであろう。

41　室蘭港仮桟橋ヨリ出張所及社宅ノ景　幌内鉄道を引継いだ北海道炭鉱鉄道会社は、室蘭—岩見沢間に鉄道を敷設、明治25年(1892)に開通した。同社はこれに先立って23年に室蘭港に仮桟橋を設置、また同社の出張所も設置した。出張所は開通後の25年10月に廃止された。

青森県

1　東京青森間鉄道第五区線中鉄橋隧道ノ写真二十枚 青森停車場
現東北本線青森駅。明治24年(1891)9月開業。

2　東京青森間鉄道第五区線中鉄橋隧道ノ写真二十枚 野辺地川鉄橋　現上北郡野辺地《のへじ》町。東北本線野辺地—千曳間。

3　東京青森間鉄道第五区線中鉄橋隧道ノ写真二十枚 善知鳥隧道
善知鳥《うとう》隧道は全長約80メートルで、図12・13とともに現東北本線浅虫温泉一野内間(現青森市)に位置し、明治23年(1890) 9 月に完成した。

4　東京青森間鉄道第五区線中鉄橋隧道ノ写真二十枚 久栗坂隧道
久栗坂《くくりさか》隧道は全長約210メートル。

東京青森間鉄道第五区線中鉄橋隧道ノ写真二十枚
これらの写真は、明治24年(1891)に開通した現在のJR東日本の東北本線の青森・岩手県地域の建設に関わるものである。工事は明治15年に日本鉄道会社により開始されたが、実際の工事は工部省が請け負った。東京を起点として青森までを５区に区切り順次工事が行われ、17年に第１区の高崎まで、20年に第３区の仙台まで、23年に第４区の盛岡まで、そして翌24年に写真にみられる第５区の盛岡一青森間が開通し、東京一青森間が全通した。第５区は21年に着工したが、ほかの区間と比べ地勢が険しく鉄橋や隧道が多く、その架橋、掘削には技術的にも困難を強いられた。これらの写真は、明治の写真家小川一真により明治31年に刊行された『日本鉄道紀要』に掲載されていることから、撮影も一真かその周辺の者によると思われる。ここでは20枚の内、15枚を収録した。

5　東京青森間鉄道第五区線中鉄橋隧道ノ写真二十枚 野内隧道　野《の》内《ない》隧道は全長約105メートル。

6　青森近傍鉄道線路積雪写十枚　「排雪機関車二台青森駅ヲ発シ野辺地駅ヘ進行ノ際積雪ノ為メ機関ヲ損シ運転自由ナラザルヲ以テ更ニ救援機関車二台ヲ発シ青森駅ヘ引キ戻シタル図」。明治26年(1893) 1月ころの豪雪地帯の青森で汽車の運行に難渋していた事がよく窺える写真である。本格的な雪掻車は明治44年12月にアメリカのラッセル社から購入し北海道で使用されたが、この写真の排雪機関車は普通の機関車に排雪装置を取付けただけのもののようにみえる。機関車は写真からでは正確ではないが、明治20年から輸入使用され、当時標準的であった600形か。

7　青森近傍鉄道線路積雪写十枚「野辺地小湊間浜子(上野ヨリ四百卅七哩《マイル》)ニ於テ排雪機関車雪中ニ埋没シタル図」。

8　青森近傍鉄道線路積雪写十枚「野辺地小湊間(上野ヨリ四百卅一哩二鎖《チェーン》)所在ノ「スノーセット」(線路雪除家)雪中ニ埋モレタル図」。スノーセットは野辺地を中心として設置されたが、あまり効果はなかったといわれている。写真でみるかぎりでもほとんど無力であったことがわかる。

9　青森近傍鉄道線路積雪写十枚「排雪機ヲ付シタル嚮導機関車二台野辺地小湊間(上野ヨリ四百卅一哩二鎖)「スノーセット」ニ於テ積雪ノ為メ阻止セラレタル図」。

10　青森近傍鉄道線路積雪写十枚「野辺地駅吹雪後ノ図」。

11　青森近傍鉄道線路積雪写十枚「野辺地小湊間(上野ヨリ四百卅四哩四分ノ三)ニ於テ雪中ニ埋没セル嚮導機関車ヲ発掘スル図」。

12　青森近傍鉄道線路積雪写十枚「野辺地小湊間(上野ヨリ四百卅四哩四分ノ三)ニ於テ雪中ニ埋没セル嚮導機関車前面線路上ノ積雪排除ノ図」。

13　青森近傍鉄道線路積雪写十枚「四百五十三哩七十鎖(青森手前一哩許)列車進行中猛烈ナル吹雪ノ為メ進途ヲ失ヒ漸々雪中ニ埋ル図。機関車ハ蓄水欠乏セルヲ以テ列車ヲ離レ小距離ノ小川ニ進行セシモ是亦積雪支障セラレ遂ニ列車迄退行スル能ハス」。

岩手県

1　東京青森間鉄道第五区線中鉄橋隧道ノ写真二十枚 目時隧道　現三戸郡三戸町目時《めとき》。現在の東北本線目時駅側に位置する。以下に紹介する写真は、青森県の図１～５と一連のものである。

2　東京青森間鉄道第五区線中鉄橋隧道ノ写真二十枚 滝見橋　第六小繋鉄橋の俗称。小繋鉄橋は馬淵川の支流小繋川に架かる橋で、第八小繋橋まである。第六橋は現在の東北本線小繋―小鳥谷《こずや》間にある。

3　東京青森間鉄道第五区線中鉄橋隧道ノ写真二十枚 滝見隧道　図２の滝見橋から隧道北口を見た写真。

4　東京青森間鉄道第五区線中鉄橋隧道ノ写真二十枚 十文字川鉄橋　現在の東北本線斗《と》米《まい》一金田一《きんだいち》温泉間にあり、馬淵川支流の十文字川に架かる。

5　東京青森間鉄道第五区線中鉄橋隧道ノ写真二十枚 小中島隧道

6　東京青森間鉄道第五区線中鉄橋隧道ノ写真二十枚 馬淵川鉄橋　建設工事の第５区には鉄橋や隧道が多いが、特に馬淵川《まべち》では12ヵ所に架橋している。図７は第六馬淵川鉄橋、図９が第七馬淵川鉄橋で、ともに現在の東北本線三戸一金田一間に架橋された。図８は第九馬淵川鉄橋で、一戸一二戸間に架橋された。馬淵川は、県北地方を縦貫する河川で、安代・浄法寺地方と北上山地側の軽米・大野・伊保内地方を二分して流れる。この川に沿って平地が開け、一戸・二戸の町がある。古くは糠《ぬか》部《のぶ》地方と呼ばれ、馬産地として知られてきた。

7　東京青森間鉄道第五区線中鉄橋隧道ノ写真二十枚　馬淵川鉄橋

8　東京青森間鉄道第五区線中鉄橋隧道ノ写真二十枚　馬淵川鉄橋(一)

9　東京青森間鉄道第五区線中鉄橋隧道ノ写真二十枚　馬淵川鉄橋(二)

10　東京青森間鉄道第五区線中鉄橋隧道ノ写真二十枚 野中隧道　現在の東北本線小鳥谷－一戸間の女鹿口付近に建設されたもので、全長663.5メートル。明治23(1890) 9 月に完成した。

11　東京青森間鉄道第五区線中鉄橋隧道ノ写真二十枚 鳥越隧道　現二戸郡一戸町。眺望絶景で紅葉の名所として知られる鳥越山を貫通する隧道。第 5 区の隧道中ではもっとも長く、1055.2メートルを計った。付近には、鳥越観音堂や馬淵川の景勝馬仙峡がある。山腹の鳥越観音堂は、大同 2 年(807)慈覚大師の開創と伝えられ、正観音を安置する。天台宗の修験道場で、奥州糠部第29番札所でもあり、遠近からの参詣者が多かった。

宮城県

1　（仙台鎮台病院）　明治４年(1871)８月兵部省の管下に東北・東京・大阪・鎮西に４つの鎮台が設けられたことにより、東北鎮台の本営が仙台に置かれるとともに、同年12月仙台市川内亀岡屋敷に東北鎮台病院が設けられた。その後明治６年に至り、政府は新たに北海道を除く全国を６つの軍管に分かち、各軍管にそれぞれ１鎮台を置いた。この時仙台は第二軍管の鎮台所在地とされ、東北鎮台は廃止されて仙台鎮台となった。これに伴って東北鎮台病院も仙台鎮台病院と改称された。

2 （仙台鎮台病院）

3 （仙台鎮台病院）

4　宮城集治檻正面之図　現仙台市。宮城刑務所の前身。明治12年(1879) 9 月創設。放射線状に伸びた監獄の周囲には小高い丘があり、その上にさらに木の高い塀が設けられている。

宮城県海嘯被害　明治29年(1896) 6月15日朝、三陸沖の海底地震に伴って発生したいわゆる三陸大津波は、死者27,122人・被害家屋8,891戸に達する大惨事をもたらした。このうち宮城県内の死亡者数は3,387、流失戸数985、全壊111戸を数えた。瓦礫と化した家々、それらを呆然と見つめる人々、また死者に読経を捧げる僧侶の姿などを捉えたこの時の写真からは、津波による被害の凄じさを窺うことができる。この被害に対して天皇・皇后より3,000円、皇太后より700円の恩賜金、各宮家からも御救恤金500円があり、また日本政府は災民救済費59,650円を支出し、各地からの義捐の金品も多数に上った。

5　宮城県海嘯被害写真

6　宮城県海嘯被害写真

7　宮城県海嘯被害写真

8　宮城県海嘯被害写真

9　宮城県海嘯被害写真

10　宮城県海嘯被害写真

山形県

1　山形県庁　明治9年(1876)、山形県・鶴岡県・置賜県の3県を合わせてほぼ現在の山形県が成立、鶴岡県令であった三島通庸が初代県令に任ぜられ、山形に県庁が置かれた。この建物は10年に旅籠町に完成した県庁舎で、14年9月30日には天皇が臨幸した。なお、以下の山形県関係の写真の多くは県の御用写真師菊地新学の撮影によると思われる。

2　**山形県警察署**　明治14年(1881)山形市旅籠町に完成。この建物は山形警察本署で、山形県全域を管轄していた。これとは別に山形市周辺を管轄した警察署が存在した。

3　山形公立病院　本院は明治6年(1873)天童の商人佐藤伊兵衛が私立病院として開院したことに始まる。しかし翌年には同人の陳情により公立病院として山形市に移転、再出発した。写真は11年起工、12年に開院した建物で、太政大臣三条実美により「済生館」と命名された。現在、市内霞城公園に移築保存され、重要文化財に指定されている。

4　山形県師範学校　現山形市。明治11年(1878)開校。14年９月30日天皇が臨幸した。規模は写真の註記によれば「二階軒高サ平地ヨリ三丈五尺八寸、三階軒高サ平地ヨリ五丈六尺四寸、同瓦棟マデ平地ヨリ六丈六尺三寸、総高サ時計台屋根マデ平地ヨリ拾丈三尺七寸、桁間二拾九間、梁間八間」であった。なお明治37年に移転し、新たに建築されたが、その時再建されたものが現在市内緑町に残る。

5　山形県師範学校寄宿舎　写真の註記によれば規模は「平屋軒高サ平地ヨリ一丈八尺、桁間折曲六十間、梁間五間」であった。

6　鶴岡朝暘学校　現鶴岡市。県令三嶋通庸により、明治9年(1876)8月に竣工した洋風瓦葺き3階建の建物で、東北一を誇った小学校・西田川郡中学校。現市役所の場所に建築され正面には時の太政大臣三条実美の書になる篇額を掲げていたが、16年3月失火により校舎を焼失、現在額だけが残る。奥羽御巡幸中の天皇は14年9月24日に本校に臨幸したが、写真はそのころのものかと思われる。市役所前に一等編修官重野安繹撰文による建設記念碑が現存する。

7　鶴岡明倫学校　現鶴岡市。明倫学校は鶴岡の女子を対象にした学校で、明治8年(1875)10月に創設された。当初は旧藩士の邸宅を借り運営していたが、9年に朝暘学校が竣工するとその1階部分に移転した。朝暘学校同様三条実美書の篇額が掲げられていたが、校舎焼失により額のみが残っている。明倫学校は同18年4月朝暘学校に併合され、朝暘女教場となる。写真は、前記朝暘学校の北門にあたる。

8　西田川郡朝暘学校　写真の註記によると規模は「二階軒高サ地面ヨリ三丈四尺六寸、三階軒高サ地面ヨリ五丈三尺九寸、総高サ地面ヨリ三階瓦棟マテ六丈二尺六寸、前面十五間、側面三十八間、中庭長サ十八間、中庭横十五間」であった。

9　朝暘学校側面　朝暘学校の西側面。手前の橋は旧鶴岡城内堀に掛かる中の橋。

10　酒田琢成学校　現酒田市。酒田では明治6年(1873)以降小規模ながら九つの公立学校が運営されていたが、11年にこれらを統合し新たに琢成学校を設置し、12年11月に市内秋田町に開校、1・2階を小学校、3階を中学校とした。校名は太政大臣三条実美の命名。14年9月26日天皇の臨幸があったが、16年3月類焼に遇い焼失した。しかし校名は現在に受継がれている。

11　山形県招魂社　現山形市八日町に明治8年(1875)創建された神社で、戊辰・西南両役の戦死者を祀ったことに始まる。

12　**西田川郡鶴岡公園地**　現鶴岡市馬場町の庄内藩酒井家鶴岡城跡。明治９年(1876)新政府により旧鶴岡城の本丸・二の丸が公園として整備されたが、この時城の外堀と内堀の一部が埋立てられ、土居の一部も撤去された。写真は10年に本丸に創建された荘内神社で、旧藩主酒井家初代忠次、二代家次、三代忠勝(庄内藩初代)を合祀する。

13　**飽海郡松山神社**　現飽海郡松山町。庄内藩支藩松山藩(２万５千石)の城跡。藩は庄内藩主酒井忠勝の三男忠恒《ただつね》に始まり、幕末まで存続したが、戊辰戦争で庄内藩とともに官軍に降伏した。写真左は現在も残る松山城大手門。右は神社の建物かと思われるが、現在はこの場所に神社はない。松山神社は明治13年(1880)ころ存在していたことが知られるが、創建や移転の経緯は定かでない。大勢の人がいるので、天皇が隣町酒田に行幸した明治14年の写真か。

14　**東田川郡後田開墾地**　現鶴岡市羽黒町。庄内藩酒井家は、維新後困窮した旧藩士の救済事業として養蚕を奨励した。明治５年(1872)６月鶴岡郊外の松ヶ岡後田の開墾を開始し、旧藩士等約3,000人が従事した。写真の建物は養蚕室で、現在も開墾記念館として５棟が保存されている。

15　山形県製糸場 外面　現山形市旅籠町に明治11年(1878)山形県勧業課所管の製糸場として開場。14年９月30日に天皇が臨幸した。

16　山形県授産所　現山形市香澄町に明治11年(1878)に開所した。14年９月30日明治天皇の臨幸があり、繰り糸の状況を視察したが、写真の情景がそれであろう。

17　南村山郡千歳園　三島県令の発案により、山形東部の市内馬見ヶ崎川の河原に、公園を造成した。一部を勧業試験場とし果樹を栽培したが、これが県内果樹栽培の端緒となった。14年 9 月30日に明治天皇が臨幸した。17年現在の千歳公園の位置に移転した。

18　酒田之市街　中央の建物は琢成学校(図10)の背面。中央手前に半鐘が見える。明治27年(1894)10月22日に庄内を襲った大震災で、町のほとんどが壊滅した。

19　千 歳 橋　現山形市。馬見ヶ崎川に架かる橋で、現在の銅町と泉町を結ぶ。橋には点灯施設があり、橋詰めに街路灯が見える。写真の註記には「長サ七十間、巾四間」とある。写真手前にはカメラと三脚が写されており、菊地新学のものと思われる。

20　常 盤 橋　山形市。須川に架かる橋で、現在の片谷と桜田西を結ぶ。5つのアーチを持つ石製眼鏡橋で鹿児島の甲突川5橋に習ったといわれる。写真の註記には「長サ三十二間、巾四間」とある。

21　相 生 橋　現米沢市内の松川に架かり、米沢駅と大町、門東町を結び、国道121号線に通じる。写真の註記に「長サ五十間、巾四間」と記す。

22　松 川 橋　相生橋(図21)と同じく米沢市内で松川に架かる。写真の註記に「長サ四十八間、巾四間」と記す。

23　最上郡船形工事図　建設中の舟形橋で、現最上郡舟形町の小国川に架かる橋。明治11年(1878)建設。竣工後の写真は山形県立図書館に保存されている。

24　三川橋　現鶴岡市。藩政時代は渡し舟であったが、県令三島通庸により内川・赤川旧流・同新流の三川のそれぞれに木橋を架けて連接する一つの橋とし、明治10年(1877) 9月竣工した。15年までは渡り銭(大人5厘、馬1銭、かご1銭5厘)を徴収した。写真の註記には「長サ二百間、巾四間」と記す。現在は架けかえられているが、橋の西詰に建設記念碑が現存する。

25　東雲橋　現東田川郡立川町清川。明治11年(1878)、盤根《いわね》新道(現在の国道47号線)開鑿の時、最上川と立谷沢川の合流地点で立谷沢川に架けられた。写真の註記には「長サ百十二間、巾四間」とある。点灯の施設があり橋詰めに街路灯が見える。写真には写っていないが、左側に最上川が流れ、現在は最上川寄りに少し位置が移されている。14年9月23日東北御巡幸中の天皇は、橋上から立谷沢川の砂金採取の状況を視察した。

26　角川橋　現最上郡戸沢村古口。東雲橋(前図)と同じく盤根新道の開鑿により最上川と角川の合流地点で角川に架かる。写真から見られる構造は、一般的な桁橋ではなく、橋台に桁の根元を埋め込んだ肘木橋であったと思われる。写真の註記には「長サ三拾五間、巾四間」とある。

福島県

1　**福島県半田銀山**　現伊達郡桑折町。江戸時代には桑折代官や佐渡奉行が管轄し、石見大森・但馬生野と並ぶ全国有数の銀山と見られたが、その経営は軌道に乗らず、明治3年(1870)には一時閉山に追い込まれた。明治6年一旦は官営に指定されたものの、その翌年には五代友厚の広成館に払い下げられている。五代は鉱毒対策等にも留意しながら、地元の名主早田伝之助をして積極的な採掘を行わせた。明治9年6月21日には天皇が行幸し、菊花紋章印刻の銀塊の製造過程を視察している。天皇の行幸は、操業停止を要求していた周辺地域の住民に、銀山経営が国利民福に寄与するとの認識を広めたという。その後、日本鉱業株式会社などに鉱区権が承認されたが、昭和50年(1975)完全に閉山した。

2　見禰村民家破壊ノ様 其一　図2—5は一連のもの。見禰村・渋谷村はともに現耶麻郡猪苗代町。見禰村は磐梯山南麓丘陵先端裾に位置し、渋谷村はその北東、磐梯山東麓の末端にある。題名には颶風による被害と記されている(図4・5)が、平成16年(2004)内閣府中央防災会議による分析の結果、明治21年(1888)7月15日発生した磐梯山大噴火による爆風や岩なだれの被害写真であることが判明した。写真には樹木や民家が薙ぎ倒され、復旧作業に追われる村民の姿がみえる。なお、磐梯山大噴火については48頁の解説を参照。

3　見禰村民家破壊ノ様 其二

4　颶風渋谷村民家ヲ破壊セシ図

5　颶風渋谷村ノ巨木ヲ破摧セシ図

6　磐梯上ノ湯温泉場埋没ノ跡

7　小磐梯山破裂地底ノ噴火口ヨリ蒸気ヲ噴騰スル様

8　小磐梯山壊崩断崖大磐梯山へ接続之所及数ケ所ノ噴火口

磐梯山噴火　明治21年(1888) 7月15日に起こった磐梯山の大噴火は被害戸数463戸、うち埋没45戸・全壊47戸、罹災者2,891名、うち死者477名で、被害面積は11,032haに及ぶなど大惨事となった。小磐梯の噴火口から上る噴煙や猪苗代町仮設病院の写真は、大噴火の凄じさを伝えて余りあるものがある。この時の噴火により磐梯山北麓に檜原・小野川・秋元の諸湖ができたのはよく知られている。この被害に対して天皇より3,000円、皇后より1,000円の救恤金が下賜されている。ちなみに、この取材のため全国から多数の新聞記者や写真師が現地を訪れたが、その中には「ル・モンド・イリュストレ」紙の報道画家ビゴーGeorge F. Bigot(1860—1927)もいた。彼の磐梯山報道画8点は同紙1888年12月1日号にその記事とともに掲載された。

9　小磐梯山壊崩地底温泉流出ノ様

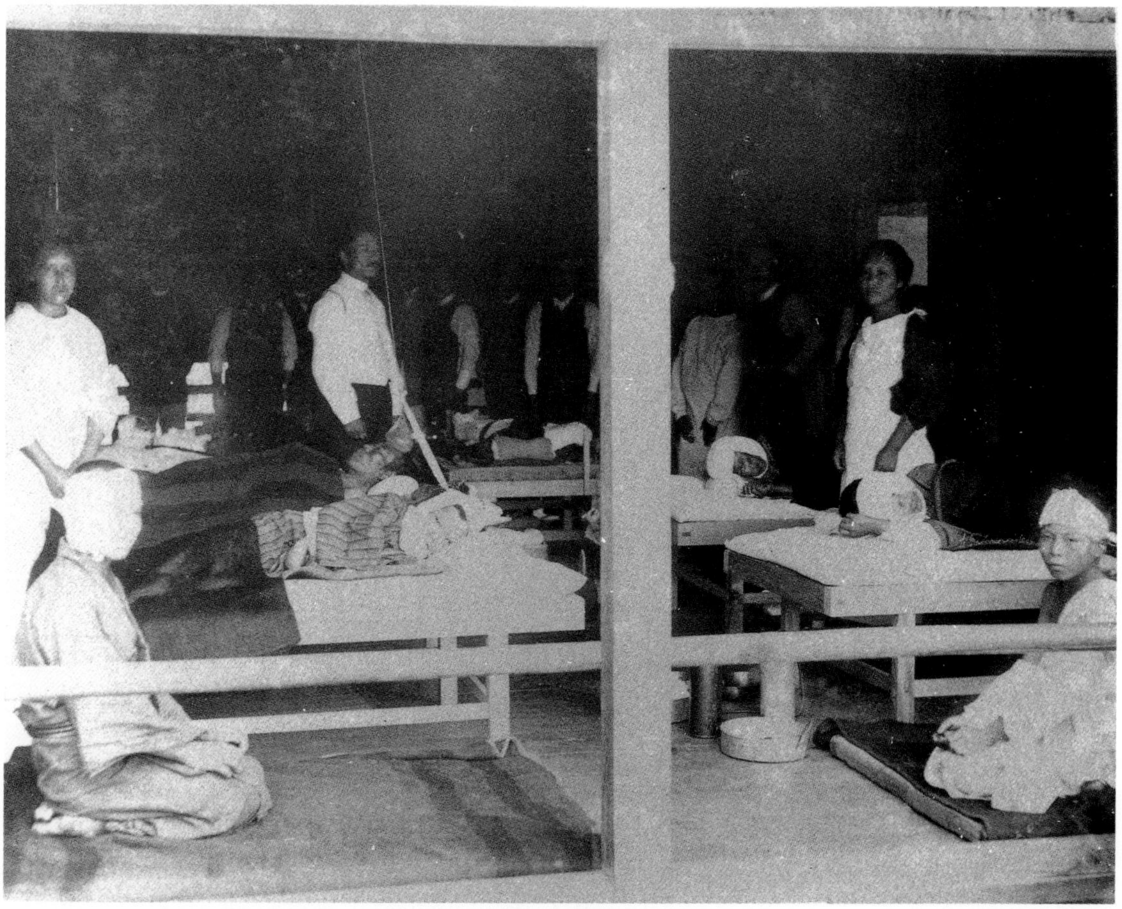

10　猪苗代町仮病院之図

栃 木 県

1　栃木県庁正面之図 宇都宮

栃木県庁　明治５年(1872)11月に栃木宿薗部村(栃木市入舟町)に落成した栃木県庁は、明治17年、第３代県令三島通庸によって宇都宮へ移された。明治21年焼失したこの県庁舎は、三島が山形県令時代に建築した山形県庁舎と同じ形式の建物で、中央の塔が威厳と権威を漂わせている。ちなみに、この県庁舎は画家の高橋由一によっても描かれている。土木県令とよばれた三島は、このほかにも道路改修などによって合理的な行政体制の構築を目指すとともに、文明開花の力を目に見える形で住民たちに印象づけようとした。

2　栃木県庁東官舎裏ヨリ斜面ニ見タル景

3　栃木県庁門外東方ヨリ斜面ニ見タル景

4　日光御猟地実景 三仏堂　慶安元年(1648)創建された輪王寺の本堂(金堂)で、日光山内における最大の建造物である。阿弥陀如来・千手観音・馬頭観音の本尊3体は日光(山)三所権現信仰に基づいた尊像で、本来は二荒山神社の3つの祭神と一体のものであった。三仏堂は明治初年までは二荒山神社の中にあったが、神仏分離令によって明治12年(1879)輪王寺内に解体移築された。なお、移築にあたっては、明治天皇の御手許金3,000円が下賜されている。

5　日光山三仏堂建築ノ図

6　日光御猟地実景 東照宮華表　東照宮の表参道。左手に五重塔、その右に大鳥居がみえる。大鳥居は高さ9メートル、柱の太さ3.6メートルで、元和4年(1618)年黒田長政の寄進になる。大鳥居には後水尾天皇の宸筆になる「東照大権現」の勅額が掛かる。大鳥居の前には千人桝形とよばれる10段の石段があり、その右には「別格官幣社東照宮」という木塔が立つ。

7　日光御猟地実景 五重塔　高さ35メートル。慶安2年(1649)、若狭国小浜藩主酒井忠勝の寄進。文化12年(1815)、落雷のため焼失し、その後同じ酒井家の忠進が文政元年(1818)に再建した。明治4年(1871)神仏分離が東照宮に実施され、二荒山神社と満願寺(輪王寺)とが分離独立した。東照宮は明治6年6月に別格官幣社に列せられ、ついで明治9年6月には明治天皇が行幸している。

8　日光御猟地実景 大猷院廟　江戸幕府 3 代将軍徳川家光の霊廟で、輪王寺の別院。承応 2 年(1653)造営。祖父家康を信仰に近いほど崇敬していた家光が、みずからの遺言によって東照宮の近くに造らせた。堂塔の配置は東照宮に準ずるが、その装飾・規模・彩色などは全体に控え目となっている。写真は、大猷院廟の入口にあたる仁王門である。

9　日光御猟地実景 大日堂

10　日光御猟地実景 含満原西端ヨリ大日堂ヲ望ム処　大日堂は、慶安 2 年(1649)大楽院恵海により建立された。かつては日光名所の一つに数えられたが、明治35年(1902)の台風による洪水で流出、廃絶した。

11　日光御猟地実景 含満ヶ淵　日光八景の一つで、「含満驟雨《がんまんしゅうう》」といわれた景勝地である。日光山主晃海《こうかい》僧正が承応3年(1654)に開いた霊場で、大谷《だいや》川の対岸の岩壁に「カンマン」と大梵字が刻まれてある。

12　日光御猟地実景 社内高処ヨリ大谷川ノ清流ヲ望ム　大谷《だいや》川は中禅寺湖を水源とし、華厳滝として落下、神橋を経て下流で稲荷川と交わり、鬼怒川に達する。江戸時代には流域において大谷川海苔や木材が採取された。

13　日光御猟地実景 獲物ヲ棹ニ懸ケタル処 其三　明治32年(1899)6月に造営された日光田母沢御用邸内の写真と思われる。

14　日光御猟地実景 小倉山ヨリ遠山ヲ望ム図　小倉山(754メートル)は、小倉春暁として日光八景の一つとされる。

15　日光御猟地実景 日光市街ノ高処ヨリ小倉山ヲ望ム図

16　日光神橋 一名山菅蛇橋　大谷川にかかる跳ね橋型の朱漆塗木橋。江戸時代には将軍の日光参詣時と修験者の行のある時のみ渡ることが許されていた神聖な橋である。日光を開山した勝道上人を深沙大王(蛇王権現)が山《やま》菅《すげ》の蛇橋(神橋)で対岸の日光山に渡したという伝説から山菅蛇橋ともいわれる。

群馬県

1　群馬県庁　明治4年(1871)10月置県のはじめには高崎が県庁所在地と定められたが、庁舎に予定した旧高崎城が兵部省に接収されて利用出来なくなったため、県庁は5年6月前橋に移された。次いで6年6月以来3年余に及ぶ熊谷県時代(熊谷に県庁、支庁を前橋、後に高崎に置く)を経て、9年8月群馬県が再置され、県庁は一旦高崎に置かれたが、前橋町民の激しい誘致運動の結果、9月仮県庁の名目で前橋に移転、14年2月正式決定をみて今日に至る。しかし高崎側の県庁設置運動も根強く、大正年間(1912—26)に至るまで断続した。写真は9年設置時以来の県庁舎(昭和3年改築)で、旧前橋藩政庁の建物である。

2　県庁之遠望

3　高 崎 営 所　明治6年(1873)6月徴兵令の制定後、高崎に東京鎮台分営が置かれ、旧高崎城内をその営所(兵営)とした。分営は後に歩兵第十五聯隊となり、日露戦争では旅順要塞の164高地・203高地の攻略に勇戦、164高地はその武勲を記念して高崎山と命名された。

4　邑楽郡館林町館林警察署　現館林市。明治10年(1877)1月東京府以外の府県にある警察出張所を警察署と改称して所在地名を冠称して呼び、また所在地名を冠した看板(縦5尺、横1尺)を掲げることが定められた。本県でもこれにより同年2月、既設の10警察出張所(前橋・高崎・太田・伊勢崎・館林・藤岡・富岡・渋川・沼田・桐生)が改称した。以下の写真は新制の看板を掲げた館林警察署などの正面。

5　新田郡太田町太田警察署　現太田市。太田警察署の正面。

6　山田郡桐生新町桐生警察署
現桐生市。桐生警察署の正面。

7　群馬郡高崎駅高崎警察署　現高崎市。警察署と改称後の明治10年(1877)12月高崎連雀町に新築された洋館二階建ての庁舎。

8　群馬郡岩鼻町已決檻 囚人整列之図　岩鼻町(現高崎市)にあった已《い》決檻(徒刑場・懲役場)と、在檻中の受刑者が整列している状況。岩鼻町(江戸幕府の関東代官陣屋、岩鼻県庁所在地)には明治3年(1870)8月以来已決檻・未決檻(未決囚などの拘禁場)が置かれていた。本県で初めての監獄である。

9　群馬郡岩鼻町已決檻 懲職工場
男性受刑者の作業場の様子。

10　群馬郡岩鼻町已決檻 女工場
女性受刑者の作業場の様子。

11　前橋未決已決両檻　明治9年(1876)
9月、新たに県庁所在地となった前橋に設けられた未決・已決両監獄。

12　群馬郡高崎駅第五大区区務所　現高崎市。明治５年(1872)５月、本県でも地方の末端行政区画を定めた大区小区制を施行、数ヵ村を合わせて一小区、小区10前後を以て一大区として、22大区、247小区が設定された。第五大区はおおむね旧来の群馬・片岡両郡の区域に相当した。写真は高崎宮元町に設けられたその区務所である。なお大小区制は11年７月郡区町村編成法の制定によって廃止。ちなみにこの区務所は同年９月４日明治天皇の行在所となった。

13　群馬郡前橋曲輪町 第二勧業場　地場産業などの奨励・育成のため、その製品その他を展示した県の施設。

14　群馬郡前橋町前橋生糸改所　明治11年(1878)前橋の生糸業者が輸出生糸の品質の向上、製品の保証などを目的として設立した生糸検査所。間口6間、奥行10間、ペンキ塗装が用いられた。なお竣工の後、使用に先立って設立者の願いによって巡幸中の明治天皇の行在所(11年9月3日)として使用された。16年5月焼失。

15　群馬郡前橋町生糸改所 裏面

16　群馬県師範学校　小学校教員養成機関は、明治6年(1873)の小学教員伝習所(前橋)の創設に始まり、次いでこれを拡充した暢発《ちょうはつ》学校(熊谷)となり、更に9年8月群馬県師範学校と改称、本格的教員養成機関として整備されることになった。学校は新県庁所在地前橋に移った。

17　群馬県師範学校　明治11年(1878)8月前橋南曲輪町に新築された校舎。図16はその正面。洋風木造二階建ての校舎は当時、「極めて高大なり」と報道された。ちなみに建築費の一部は、県庁設置の条件として、前橋地方の有志町民等の負担するところであった。

18　前橋曲輪町群馬県衛生所　衛生所(初名衛生局)は熊谷県時代の明治7年(1874)に「人民の健剛と医務統轄」のため暢発学校の付属施設として設置、医学校は9年5月創立、衛生所に併置された。次いで群馬県復置により前橋に移り、10年8月写真のごとき庁舎兼校舎の新築をみた。その建築費は師範学校の場合と同じく県庁誘致のため前橋町民有志などが一部負担したという。しかし衛生所は13年1月廃止、医学校も入学生の減少などにより14年6月閉校された。その建物は後に山田郡相生村役場(現桐生市)となり、現在明治館の名称で資料館として保存されている。国の重要文化財に指定。

19　群馬郡前橋曲輪町厩橋学校　明治5年(1872)11月開校した本県最初の小学校で、新教育制度の啓蒙的見本校と意義づけられた。創立の頃の教員数16名、生徒数は男子336名、女子118名、生徒の多くは旧藩士の子弟であったという。校舎は旧藩の民事役所の建物で、その購入費および維持費は前橋と近傍36町村の共同出資による。なお学区制により第十七番中学区第一番小学厩橋《うまやばし》学校と称した。「厩橋」は前橋の古称。

20　甘楽郡七日市町鏑川中学校　熊谷県時代、明治7年(1874)4月、甘楽《かんら》郡七日市町(現富岡市七日市町)の旧七日市藩陣屋跡(現県立富岡高校敷地内)に設立、学区制による第十九番中学区(甘楽・碓氷・多胡・緑野の4郡)管内の小学校に勤務すべき教員の短期養成にあたった。養成期間はおおむね2、3ヵ月から6ヵ月程度。ちなみに校名の鏑川《かぶらがわ》は七日市の南境を流れる川の名である。

21　群馬郡前橋連雀町桃井学校　明治６年(1873)４月寺院を仮校舎として開校、翌７年２月新校舎が竣工したが、これが本県での小学校新築の最初であり、また洋風の学校建築の初例であった。写真で見られるような、左右対称の「コ」の字型に構成された木造二階建ての構造は県下の洋風建築の範となったという。その建築費は富裕な前橋の有志町民と生糸会社の寄付によりまかなわれたという。なお学制実施のはじめ、教育財政はもっぱら民費によってまかなわれたため、学校の創立にあたっては多額の資金を必要とする校舎の新築は見送られ、とりあえずは寺院や民家を仮用して校舎とする場合が多かった。本県では明治８年までに開校の小学校499校の中、新築９パーセント余に対して、寺院利用66パーセント余、民家利用18パーセント余であったという。

22　群馬郡高崎駅高崎学校　明治10年(1877)１月、高崎の既設小学校９校を統合して設置され、同年７月新校舎(洋風二階建て)の落成をみた。なお、校名は旧高崎藩の藩校の名称「高崎藩校」を継承したものという。

23　利根郡岩本村岩本学校幷村民稼穡之図　現沼田市岩本町。原題にみえる稼穡《かしよう》は農作業をいう。写真左方の大きな家屋(庵室とも伝える)が学舎であろう。開校は明治７年(1874)２月とも８年１月ともいわれる。創設頃の生徒数は27人。ちなみに岩本村は利根川上流の右岸、子持山東麓にあり、明治10年頃の戸数78戸、人口301人と伝える。

24　勢多郡長井小川田村横野学校　現勢多郡赤城村長井小川田。明治６年(1873)寺院を校舎として開校。当村および深山村・棚下村を通学区域とし、開校当初の生徒数は男子82人、女子65人。

25　群馬郡上白井村上白井学校　現北群馬郡子持《こもち》村上白井。明治８年(1875)４月開校。写真の校舎は11年８月竣工の新校舎。建築費は750円という。

26　佐波郡島村島村学校　現佐波郡境町島村。明治6年(1873)8月村内の寺院で開校、ついで8年3月村内中央の前島に校舎を新築した。ちなみにこの地は著名な養蚕地である。

27　佐波郡今井村今井学校　現佐波郡赤堀町今井。明治5年(1872)8月創立。

28　山田郡桐生新町桐生学校　現桐生市。明治6年(1873)10月桐生新町の寺院内に開設された桐生学舎に始まる。写真は11年4月新築された洋風二階建て、白漆喰塗の校舎。

29　山田郡大間々町大間々学校　現山田郡大間《おおま》々《ま》町。明治６年(1873)創設。校舎ははじめ民家を借用したが、８年新築された。開校当初の男子生徒106名、女子生徒48名。大間々は絹織物・生糸の集散地。

30　邑楽郡館林町館林西校　現館林市。明治６年(1873)12月館林町谷越の寺院を借りて開校、校名は初め館林小学西舎と称し、次いで８年11月館林西校と改称、さらに15年11月館林小学校(本校)と改められた。この学校にあっては、開校時以来士族の子弟と町民の子弟との間に反目が続いていたが、７年７月士族子弟を分離して館林小学東舎が設立された。この後８年10月市街地の竪町に写真の如き新校舎の建築をみた。その規模は間口15間、奥行７間、正面中央にバルコニー付きの張出し玄関が設けられ、生徒休憩所が付属した。ちなみに教員給料以下の学校経費は45円50銭(１ヵ月分)、生徒の束修《そくしゅう》(入学金)12銭５厘、月謝は10銭、７銭、５銭の３段階があり、貧困者は免除された。以上の金額は館林の他の小学校に比してやや高額であったという。

31　邑楽郡館林町館林東校　明治７年(1874)７月、館林小学西舎在校中の士族生徒105人と教師若干が分離して館林小学東舎を士族屋敷に開設したのに始まる。翌８年２月館林東校と改称、15年東西両校を合併して館林小学校(分校)と称した。この間９年４月、写真の如き新校舎が大名小路に落成した。間口13間、奥行７間の校舎で、生徒休憩所も付置された。工費は2170円と伝えられる。

32　多胡郡吉井村吉井学校　現多野郡吉井町。明治６年(1873)７月吉井村・川内村など５ヵ村が連合して川内村法森寺に開校、11年１月和風二階建て校舎の新築をみた。開校の頃は教員５名、男子生徒92人、女子生徒55人を数えた。

33　甘楽郡入山村入山学校　旧碓氷関所近くの山村入山《いりやま》村に設けられた小学校の様子。すこぶる簡素な学舎ながら、「邑に不学の戸なく」とうたい上げた学制の理想もしのばれる。

34　富岡製糸場之図
製糸場の正門。

35　甘楽郡富岡町富岡製糸場

富岡製糸場　現富岡市。明治の初め、幕末開港以来の生糸輸出量の激増に対応するとともに製品の粗悪不画一に流れるのを防止するため、生糸の生産方法を旧来の座繰《ざくり》から器械製糸に転換することが必要とされた。また器械製糸技術を各地に伝播することも望まれた。このため政府は官営模範工場の建設を意図し、良質の蚕種と水に恵まれた富岡に工場地を選定、明治３年(1870)より建設に着手、５年10月竣工して操業を開始、フランス人ブリューナなどの指導によりフランス式器械製糸を行なった。26年に至り民間企業に払い下げられ、現在は片倉製糸会社の所有するところであるが、昭和62年(1987)以来製糸を停止している。敷地３万平方メートル余り。繭置場、繰糸場《くりいと》を中心として、蒸気釜所、首長館、検査人館、女工館、生徒舎、工女寄宿所などが建てられた。図35・36は構内の概容である。なお開業当時の建造物は大半現存するという。

36　富岡製糸場之図

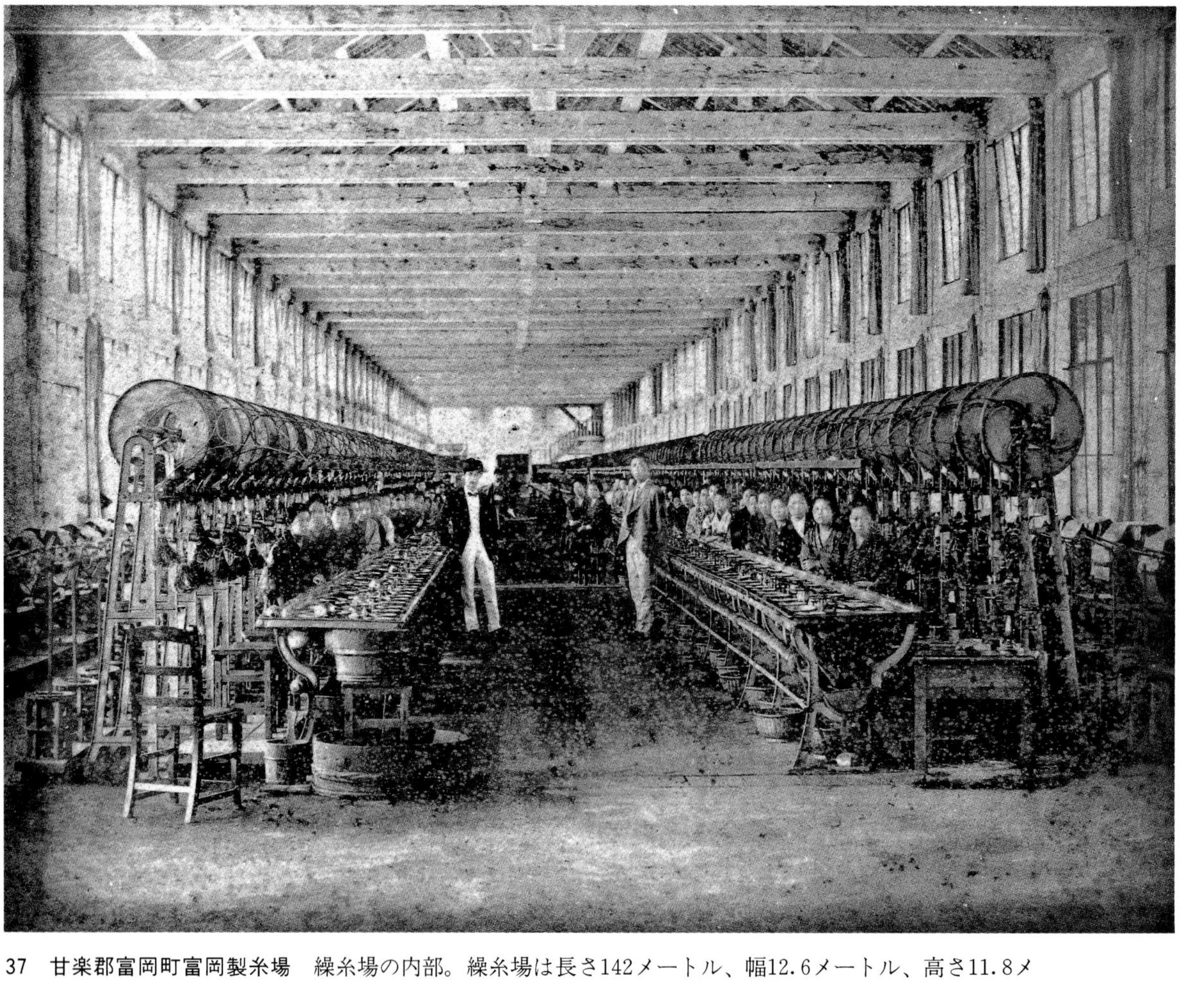

37　甘楽郡富岡町富岡製糸場　繰糸場の内部。繰糸場は長さ142メートル、幅12.6メートル、高さ11.8メートル、木骨煉瓦造の堅牢な建物。開業当初の釜数300釜を数え、明治６年１月には工女総数400人を越えたという。なお工女の労働は週６日間、１日８時間の労働、年俸は１等が25円(３等12円)であった。

38　緑野郡新町駅官立屑糸紡績所　現多野郡新町。屑糸・屑繭を原料とする絹糸紡績を振興して国内用絹糸の増産をはかるため、政府により設立された日本最初の絹糸紡績所。機械設備一式をスイス・ドイツから輸入し、両国人技術者の指導により明治10年(1867) 7月開業、はじめ内務省勧農局・農商務省工務局が経営、専ら丹後縮緬の原糸を生産したという。20年5月民間企業に払い下げられた。官営時代の倉庫など若干が遺存する。

39　勢多郡大渡村勝山宗三郎製糸場　現前橋市。前橋の生糸商勝山宗三郎経営の大渡《おおわたり》製糸場。日本ではじめて器械製糸を導入した旧前橋藩営製糸場(前橋製糸場)を継承したもので、明治7年(1874)末に開業、器械製糸により精良な生糸を生産した有力製糸場の一つ。

40　勢多郡水沼村星野長太郎製糸場　現勢多郡黒保根村水沼。前橋製糸場で器械製糸技術の伝習を受けた水沼村の有力者星野長太郎が明治6年(1873)11月設立。その製品は高品位で知られ、また横浜の外国商社の手によらない直輸出を始めたことも著名。

41　勢多郡関根村関根製糸場　現前橋市。前橋製糸場の経営にたずさわった旧前橋藩士深沢雄象・速水堅曹等によって設立された器械製糸場で、研業社とも称する。明治8年(1875)開業、最大建坪の民間の製糸場であったという。

42　佐波郡伊勢崎町共研製糸会社　現伊勢崎市。明治12年(1879)6月農家出身の徳江八郎の設立した器械製糸場。徳江製糸場とも称した。良質糸の生産で著名であった。

43　群馬郡前橋曲輪町精糸原社　明治11年(1878)5月深沢雄象・星野長太郎らによって設立された製糸場。ほかに改良座繰製糸に従事する農家組合の統轄、その製品の検査、統一的荷造・販売などに従事した。

44　勢多郡荻原村神山雄一郎製糸場

45　勢多郡伊勢崎町石原製糸場

46　甘楽郡富岡町並塚直次郎製糸場

47　碓氷郡安中駅小林紋太郎製糸場

48　碓氷郡安中駅淡路豊太郎製糸場

49　佐波郡島村養蚕室　現佐波郡境町島村。島村は江戸時代中期以来養蚕の適地として知られるが、明治時代に入りこの村の田島弥平らによりさらに飼育法の改良、蚕種の精良化がはかられた。その飼育法は清涼育とよばれ、蚕種は島村種と称されて業界に多大の影響を及ぼした。写真はその養蚕室の外観。

50　山田郡桐生新町星野伝七郎和洋折衷機器械　現桐生市。江戸時代中期以来の著名な高級絹織物生産地桐生では、明治時代初期にはさらに洋式の力織機などを積極的に取入れ、製品の種類の拡大に努めた。星野伝七郎もそれら機業家の著名な一人。写真にみられる織機の名称などは未詳。

51　緑野郡浄法寺村中畝根政太郎メカニック器械　現多野郡鬼石町浄法寺。洋式織機の一つであろう。

52　甘楽郡中小坂村鉄鉱山　現甘楽郡下仁田町中小坂。明治６年(1873)末民間資本をもって設立。製鉄所の操業開始は明治８年末より９年初めの頃といわれ、我が国最初の蒸気機関送風による洋式高炉の製鉄を行い、さらに銑鋼一貫生産も行なったことで著名。また背後の鉄鉱山は明治10年代の埋蔵量500万トン、日産20トンともいわれた。大正年間(1912—26)までおおむね民営企業として存続した。

53　勢多郡赤城山箕輪牧場　現勢多郡富士見村箕輪。幕末期以来馬匹を飼養したが、国および県の畜産事業振興政策をうけて、明治８年(1875)旧前橋藩士が共同して牧牛事業をおこしたのに始まる。初め赤城牧社と称し、後に赤城牧場と改称、また経営者も三転したが、明治末年には牛馬千数百頭飼養の大規模牧場に発展した。

54　清水越開道式場之図　政府は東京—新潟間を連接するため、明治14年(1881)７月利根郡湯檜曽《ゆびそ》村より清水峠を越えて新潟県南魚沼郡清水村に至る新道の開削に着工、18年８月竣工し、９月７日派遣の侍従の臨場の下に県境および湯檜曽村において開道式が盛大に挙行された。写真は恐らく県境式場の光景であろう。すこぶる難工事であったと伝えられる。

55　勢多郡八木原村人民家屋之図　現勢多郡黒保根村八木原《やぎわら》。当時の農家のたたずまいと生活の一斑を例示するものであろう。渡良瀬川の左岸、水沼村の対岸に位置したこの村は、明治10年(1877)頃には、農・桑業27戸、漁業３戸、山師１戸、女子は養蚕・製糸縫織に従事した。

56　甘楽郡後賀村稼穡之図　現富岡市後賀《ごか》。明治10年(1877)頃の家数62戸、人口215人、生糸・繭・生絹・葉煙草等を生産した。

57　利根郡戸鹿野村戸鹿野橋　現沼田市戸《と》鹿《が》野《の》。橋は沼田街道西通とよばれた街道にあって、利根川の上流に架かる。付近は利根川と片品川の合流点に近い景勝の地で、橋の姿は沼田八景の一つに数えられた。

58　利根郡岩本村岩本橋　現沼田市岩本。村は利根川上流の右岸にあり(図23参照)、橋は利根川に架かる。

59　群馬郡上白井村隧道　現北群馬郡子持村上白井。上白井村と利根郡岩本村間にある十八坂越通行の困難を解消するため、綾戸峡谷(利根川上流)右岸沿いの断崖を開削して造成した隧道。沼田の僧江舟の奔走により弘化元年(1844)着工、弘化３年貫通をみたが、文久３年(1863)拡張・改修が行われた。この隧道により十八坂越両端の上白井・岩本両村は直結、交通の便が増大した。綾戸の穴道、綾戸隧道と称する。

60　勢多郡八崎村之隧道　現勢多郡北橘村八崎。前橋より沼田に至る道中で、特に嶮峻であった八崎村付近の交通の困難を緩和するため、利根川左岸の断崖を開削して築造されたもの。明治6年(1873)同村名主田中清六の請願により着工、翌7年8月竣工。延長4000メートル弱、その間隧道4ヵ所に及んだ。経費は清六の独力拠出するところで、住民はこの隧道を「清六新道」と称した。

61　勢多郡水沼村之遠望　水沼村は現勢多郡黒保根村大字水沼。渡良瀬川の河原をはさんで、右岸の水沼村を遠望した写真で、明治6年(1873)に建設された水沼製糸所の白色の建物も認められる。

62　高崎ヨリ片岡郡観音山幷烏川之遠望　高崎の町からその西南郊にある観音山台地(標高200メートル前後)と、烏川を遠望した風景。

63　群馬郡伊香保村　現北群馬郡伊香保町。著名な伊香保温泉の所在地。温泉街は伊香保神社に通じる急傾斜地にあり、写真中央の伊香保神社の鳥居の前面に展開する家屋の重なりに、「石段上がりの街」伊香保の景観も偲ばれる。

64　群馬郡春名山湖　現群馬郡榛名町。榛名湖は、複式成層火山である榛名山の山頂部にある火口原湖、面積1.2平方キロメートル、湖面標高1084メートル、周囲5キロ、最深部12.5メートルとされる。湖畔の建物は茶屋であろうか。なお原題に「春名山湖」とあるが、明治の初めには「春名山」「榛山」などと記されたこともあった。

65　前橋駅舟橋引島ノ遠景　前橋を流れる利根川に架けられた舟橋と中洲の引島の状景。写真手前の人物は橋番であろうか。舟橋の組立てや管理の一端が窺われる。なお明治天皇は明治11年(1878) 9月3日、地方巡幸の途次、曲輪町の舟橋を渡って前橋に入った。

66　勢多郡西大室村二子山　現前橋市西大室町。現在後二子《うしろふたご》古墳と称せられている前方後円墳に該当すると思われる。6世紀後半より7世紀前半の築造で、強力な首長の墓と推定される。全長76メートル、石室は横穴式石室で、明治11年(1877)村人によって開口、出土遺物は散逸した。国史跡。

67　勢多郡東大室村二子山　現前橋市東大室町。現在中二子《なかふたご》古墳とよばれている前方後円墳。全長約108メートル、築造は6世紀中頃から後半で、この地方の有力な首長の墓と考えられている。石室は未発掘であるが、横穴式と推定されている。国史跡。

68　多胡郡池村多胡碑　現多野郡吉井町池。那須国造碑・多賀城碑とともに日本三古碑と称される。碑身と笠石からなり、碑身は高さ127センチ、幅・厚さ60センチ、碑文は6行80字を刻字し、和銅4年(711)3月9日の弁官符によって上野国に新たに多胡郡が置かれたことを伝えるもの。なお土地の人々は、この地方に伝わる羊太夫の伝説から、この碑を「おひつじさま」と呼んで祭祀してきた。国特別史跡。

69　甘楽郡一ノ宮町貫前神社
現富岡市。現在の社名は一之宮貫前《ぬきさき》神社。上野国の一宮の社格のある古社で、経津主《ふつぬし》神・比売《ひめ》大神を祀る。本殿・拝殿・楼門は江戸初期の再建で、国の重要文化財。写真は参道より楼門を望むもの。鹿占・筒粥などの特殊神事が伝えられている。

70　勢多郡三夜沢村赤城神社　現勢多郡宮城村三夜沢《みよさわ》。赤城山中腹にあって、赤城山を神格化した赤城神や東国経営にかかわりのある大己貴命《おおならむち》・豊城入彦命《とよきいりひこ》を祀る。赤城神は古来雷神や水神になぞらえられ、人々の生活と深いかかわりをもって今日に至った。写真の神明造りの社殿は明治初年神仏分離の際に新しく造営された本殿。

71　群馬郡春名山村榛山神社前景　現群馬郡榛名町榛名山。榛名山の西南の山腹に鎮座する古社で、火産霊《ほむすび》神その他を祀る。中世では修験道の道場ともなった。また中・近世にわたって豊作の神、雨乞の神として庶民の信仰を集め、関東各地に榛名講が結成された。写真は二ノ鳥居・随身門付近の状景であろう。

72　榛名山榛名神社　写真は権現造の拝殿で、江戸時代中期の寛政4年(1892)の建築。

73　甘楽郡妙義町妙義神社　現甘楽郡妙義町。表妙義の主峰白雲山の東山麓に鎮座。白雲山の地主神を祀る波己曽《はこそ》社その他を併せて一社としたものとも考えられている。江戸時代中期から火伏せ、雷除けの信仰が広まり、多くの講社が結ばれた。写真の権現造の社殿(拝殿)は、宝暦6年(1756)の建築で、江戸時代中期の代表的神社建築の一つ。国の重要文化財に指定されている。

74　甘楽郡妙義町妙義神社　写真左手の峨々たる山容を背にした建物は安永2年(1773)建築の総門(国の重要文化財)、右方の建物は当社の社務を兼帯した寛永寺の門主輪王寺宮の宿坊(隠居所ともいう)。嘉永5年(1852)建築で、宮様御殿とよばれているもの。

75　新田郡世良田村長楽寺地中東照宮　現新田郡尾島町世良田《せらだ》。寛永18年(1641)天海僧正によって、世良田の長楽寺の敷地内に勧請された。社殿は日光東照宮の旧社殿を移築したもので、唐門・拝殿・本殿ともに国の重要文化財。世良田は徳川氏発祥の地とされ、長楽寺もその祖先の世良田義季開基の寺院で、徳川家康の命により復興された。

76　新田郡太田町金山新田神社御嶽神社　現太田市金山《かなやま》町。金山の山頂近くの金山城本丸跡に鎮座。新田神社は新田義貞を祀る。なお金山城跡は、義貞の後裔岩松氏が築いた戦国時代の山城の遺跡。国史跡。

77　新田郡太田町大光院　現太田市金山町。慶長18年(1613)徳川家康が遠祖新田義重追善のため、その縁故の地に建立した寺院。浄土宗の関東十八檀林の一つ。開山の呑竜が多数の貪民の子を養育した遺徳によって、今日も「子育て呑竜」の寺と称され、庶民の信仰が厚い。写真は境内本堂(創建時の建築)前の状景。

埼玉県

1　埼玉県庁浦和裁判所　現浦和市。本図の向かって左が浦和裁判所庁舎で、右が埼玉県庁舎(図２)。埼玉県の成立は明治４年(1871)であるが、県庁舎はすでに浦和県時代の明治２年には同じ鹿島台に建設されていた。なお、県庁舎の建築には東京の空き倉庫の古木・古瓦も用いられたという。ちなみに埼玉県庁には明治11年８月31日、明治天皇が行幸している。

2　埼玉県庁之図

3　埼玉県立学校　明治 6 年(1873)岸村に教員養成機関として設立された改正局(翌年埼玉県師範学校と改称)をその前身とする。ついで医学校や書籍館も併せ持つ埼玉県立学校と改称された。明治11年 8 月30日北陸・東海両道巡幸の途次に、明治天皇の行在所(図 4)として使用した。その後埼玉県立師範学校となり、明治32年鹿島台に移転した。

4　埼玉県行在所之図

5　**埼玉郡忍ノ東照宮**　現行田市。社殿は文政8年(1825)忍城(城主松平忠堯)内下荒井に落成。明治維新後、旧藩主の松平家が東京に移住したのに伴って、明治7年(1874)下荒井から旧本丸跡に遷座し、松平家の管理を離れた。写真はその時の工事の様子を撮影したものと思われる。

6　**入間郡仙波東照宮ノ図**　現川越市。寛永10年(1633)造営。徳川家康の遺骸を日光に改葬するにあたって、仙波喜多院において大法要を営んだことに由来する。社殿は寛永15年の川越大火により灰燼に帰したが、その後寛永17年に喜多院の隣接地に再建された。明治維新後、神仏分離により喜多院から分離して無格社となる。写真の正面の築山上に見えるのが拝殿であり、その一部は江戸城二の丸東照宮を移築したものとのいわれる。

7　埼玉郡岩槻城墟ノ遠景　現岩槻市。太田道真(道灌の父)の築城になるとされる。明治4年(1871)廃藩置県により廃城となった岩槻城は明治11年にその建造物の解体を終えた。この時と明治39年の2回にわたって城地が払い下げられている。

8　男衾郡藤田村象ヶ鼻ノ景　現大里郡寄居町。象ヶ鼻は荒川沿岸の景勝地。

9　男衾郡鉢形城墟之景　現大里郡寄居町。荒川の南東に位置する鉢形城は、戦国期には武蔵国北部における最大の平山城であった。室町時代後期は関東管領山内上杉氏の配下に置かれたが、戦国期になって北条氏邦の居城とされ、後北条氏の北関東支配の拠点となった。天正18年(1590)豊臣秀吉の小田原征伐に際して落城し、徳川家康の江戸入府により廃城となった。

10　埼玉郡埼玉村小埼池　現行田市埼玉《さきたま》の小埼沼《おさき》のことであろう。小崎沼は『万葉集』にも歌われている。写真にみえる石碑は、忍城主阿部正因が宝暦3年(1735)に建てた歌碑と思われる。

11　葛飾郡幸手行幸堤側面之図　現幸手市。明治8年(1875)葛飾郡63ヵ村の民費により完成。長さ761間、高さ1丈3尺、馬踏3間、敷幅5丈9尺の堤防で、渡良瀬川・利根川の主流であった島川の高須賀村・外国府間《そとごうま》村間の曲流を直流にしたものである。翌9年6月4日東北巡幸の際、明治天皇が鳳輦を止めて村民の労をねぎらったことから、「行幸堤」と名付けられた。

12　葛飾郡宝珠花渡ロノ景　現北葛飾郡庄和町。この地は江戸川対岸の東宝珠花村(現千葉県関宿町)に面した西宝珠花村にあり、相互の往来には渡船を利用した。明治21年(1888)町村制が公布されて、宝珠花村となる。この一帯の河岸は近郷からの物資の集散や北関東と江戸を結ぶ舟運の拠点として栄えたが、やがて利根運河の開削(明治23年)や東武鉄道の開通(明治32年)などに伴って衰退していった。

13　榛沢郡中瀬村利根川土出ノ景

14　榛沢郡中瀬村利根川渡江ノ遠景　現深谷市。この地には江戸向けの物資の水上輸送のために設けられた中瀬河岸場のほか、対岸の平塚(現群馬県新田郡境町)に至る中瀬渡(平塚渡)があった。そもそも中瀬河岸はこの付近で採掘される良質な栗石の輸送を契機として発達し、利根川中流域では最大規模を誇った。なお、幕末期には江戸向けの早船が就航している。

15　葛飾郡新宿新田桃林之景　現北葛飾郡庄和町。もとは下総台地の一部であったが、寛永18年(1641)の江戸川改修によって、これから分離した。

16　葛飾郡松伏溜井関枠之景　現北葛飾郡松伏町。葛飾郡松伏村と埼玉郡増林村の間に堰が設けられたことに伴って寛永７年(1630)頃に造られた用水溜井。その規模は長さ11.64キロ、幅約53～154メートルほどであった。写真の奥は用水の堰枠である。

17　足立郡瓦葺村掛樋之遠景　現上尾市。江戸時代の正保～元禄の間に本瓦葺村・上瓦葺村・下瓦葺村に分れたが、明治７年(1874)に再び合併して瓦葺村となった。写真は見沼代用水(享保13年(1728)開削)の掛樋が綾瀬川を越える所を撮影したもの。用水はここから二流に分岐して周辺の水田を潤した。

18　幡羅郡江袋溜井之図　現大里郡妻沼町。溜井は江袋村の南と西の２ヵ所にあり、別府村(現熊谷市)より流れる福川を堰き止め、周辺９ヵ村の水田に水を供給した。写真の奥に見えるのは堰枠と思われる。

19　足立郡大宮氷川神社之景　現大宮市。武蔵国一の宮・旧官幣大社。明治元年(1868)10月明治天皇は万機親裁の詔を発するとともに、祭政一致の原則に基づいて氷川神社を武蔵国鎮守勅祭社として親祭し、毎年奉幣使を差遣することを定めた。これによりこの月の下旬に天皇が参拝した。天皇はその後明治３年、同11年にも行幸している。

20　幡羅郡目沼聖天之図　現大里郡妻沼町。聖天山歓喜院長楽寺と号する古義真言宗の寺院。治承3年(1179)、源頼朝の家臣斎藤実盛がこの地に総鎮守聖天宮を創建したことに始まり、その後別当寺として歓喜院が建立された。明治維新後、神仏分離令によって聖天宮(本尊大聖歓喜天)が歓喜院の仏堂とされ、その隣接地に明治2年(1869)大我井神社が造営された。正面に見える二層の門は聖天宮の正門にあたる貴惣門で、嘉永4年(1851)の竣工になる。

21　比企郡巌殿大悲閣之図　現東松山市。岩殿山修善院正法寺と号する真言宗智山派の寺院。大悲閣とは観音堂を指し、本尊が千手観音であることから岩殿観音と通称され、また岩殿寺ともいう。創建は養老2年(718)と伝えられ、室町時代には大伽藍を擁した。永禄10年(1567)の松山合戦の兵火によって堂宇はすべて灰燼に帰したが、江戸時代になると坂東三十三所霊場第10番札所として隆盛を見た。写真は正門(仁王門)を撮影したもの。

22　新座郡野火留平林寺之図　現新座市。山号金鳳山。臨済宗妙心寺派の古刹。本尊釈迦如来。永和元年(1375)建立。開基は武蔵国岩槻城主太田道真(道灌の父)といわれ、太田氏滅亡後、徳川家康により再興された。のちに川越藩主松平信綱以下一門の菩提寺となり、岩槻より野火止に移る。また境内には増田長盛(豊臣家五奉行の一人)・見性院(武田信玄女、穴山梅雪夫人)などの墓所もあり、野火止用水が流れる。写真は淩霄閣と呼ばれる山門であり、その奥に仏殿が見える。

23　児玉郡金鑚神社華表之図　現児玉郡神川町。金鑚神社は『延喜式』神名帳所載の名神大社。武蔵国二の宮。本図に標示されているように大鳥居から3丁余り上に拝殿があるが、本殿はなく、後背にそびえる御室山を祭神天照大神・素盞嗚命・日本武尊の神体として祀っている。明治維新後、神仏分離令によって金鑚山一乗院(図24)から分離し、ついで明治18年(1885)官幣中社となった。

24　児玉郡金鑚山一条院之景　正しくは一乗院と記す。金鑚神社の北東に位置するこの寺院は大光普照寺といい、別に金鑚寺、また元三大師とも通称される。聖徳太子の開基、舒明天皇の勅願寺とされ、もとは金鑚神社の別当寺であった。川越仙波の喜多院・下野長沼の宗光寺とともに天台宗の関東三檀林としても名高い。

25　高麗郡高麗寺之景　現日高市。正式には高麗山勝楽寺と号し、歓喜天(聖天)を祀っていることから聖天院ともいう。霊亀2年(716)関東甲駿7ヵ国に散在する高句麗よりの渡来人1,799人をこの地に移したことから、高麗一族の菩提寺となった。山門は天保期の建物である。なお、明治29年(1896)郡制施行に伴う郡の統廃合により高麗郡は入間郡に編入されていることから、この写真はそれ以前に撮影されたと思われる。

26　足立郡戸田橋之景　現戸田市。明治６年(1873)埼玉県に堀正・天野伴次郎によって木橋案の架橋願が、一方、東京府には市川代次郎によって鉄橋案の架橋願がそれぞれ提出された。協議の結果、前者の案が採用され、橋は明治８年に竣工した。これに伴って江戸時代以来の中山道の戸田渡は廃止された。民間経営の有料橋梁として開通した戸田橋であったが、上野一熊谷間の鉄道開通(明治16年７月)や折柄の不況によって通行量が激減、橋の経営は悪化した。このため明治31年５月埼玉県が橋を接収、渡橋料金も廃止された。

27　横見郡玉鉾山之景　現比企郡吉見町。高負彦根《たかおひこね》神社社殿(写真左)の後背に位置する巨岩。和銅3年(710)創建と伝えられる高負彦根神社は味鉏高彦根命を祀る旧村社。なお、横見郡は明治23年(1890)郡制施行により比企郡に編入された。

28　播羅郡三ヶ尻村狭山之図　現熊谷市。標高77.4mの丘であり、現在は観音山と呼ばれる。山の中腹にあるのは龍泉寺という真言宗豊山派の寺院。表題中の「播羅郡」は近世から近代にかけての用字で、本来は「幡羅郡」。

29　入間郡黒須村元弘古戦場遠景　表題には黒須村(現入間市)とあるが、小手指ヶ原(現所沢市)の写真であろう。元弘3年(1333)上野国で挙兵した新田義貞がこの地において鎌倉の北条軍と干戈を交えたことはよく知られている。

30　賀美郡勅使河原古戦場之遠望　現児玉郡上里町。天正10年(1582)織田信長の家臣滝川一益の軍と鉢形城主北条氏邦を先鋒とする後北条軍が激突した神流川合戦の舞台である。江戸時代には勅使河原渡が中山道の渡しとして、東岸の勅使河原村と西岸の新町(現群馬県緑野郡)を結んでいた。

31　入間郡狭山会社製茶場遠景　現入間市。江戸時代から香の良さで名をはせた狭山茶は幕末から明治にかけて日本の主要な輸出品に成長し、米国を中心に海外に大量輸出された。しかし輸出増大に伴って粗製品が濫造されたために相場の下落を招き、ために貿易は停滞するに至る。そこで明治８年(1875)入間郡黒須村の豪農であった繁田武平(満義)は近隣15ヵ村29名の有志とともに資本金５万円で狭山会社を設立し、狭山茶の培養・製法を統一して品質の向上に努めるとともに、既存の流通機構に対抗して海外直輸出を行なった。本図はその製茶場と茶畑であり、図32は茶摘みの光景である。

32　入間郡狭山茶園之図

33　比企郡小川製紙場之図　現比企郡小川町。この地方は外秩父山地の北東部に位置することから山林が多く、耕地面積が狭小のため、古来、養蚕・紙漉・絹織物・素麺・酒造等が副業として発達した。朝鮮半島系渡来人によって伝えられたとされる小川和紙の技術は、特に江戸時代になって外秩父方面にも広がり、この地方の特産品となった。明治以後も小川和紙は紙幣や蚕紙として販路を拡大し、昭和戦中期には満州国奉天（瀋陽）市造幣廠に輸出され、また登戸の陸軍第九研究所は風船爆弾・ふ号作戦の原料として小川和紙を用いている。写真右上に漉いた紙を干している様子が見える。

34　高麗郡上広瀬村製紙場之景　入間川左岸に位置した上広瀬村は現在狭山市の一部となっている。

35　児玉郡児玉町久米六右衛門蚕室之図　現児玉郡児玉町。児玉町が付近の養蚕地帯の中心地として栄えたのは、明治17年（1884）に養蚕改良競進社蚕業伝習所（現県立農工高等学校）などが開設され、養蚕家木村九蔵によって炭火を利用した温暖飼育法が教授されるなど、養蚕改良指導が成功したことにある。本図の蚕室は屋根上に高窓という開閉自在の換気窓が設けられるなど、換気に綿密な配慮が窺えることから、温暖飼育法を用いた蚕室と考えられる。この蚕室と飼育法はやがて全国に広まり、養蚕業の発展に大きく寄与した。

36　児玉郡児玉町之景

37　秩父郡三峯村民家ノ図　現秩父郡大滝村。三峯村は明治元年(1868)、古大滝村から三峯社神領分が分離して成立した。村民は三峯神社が鎮座する三峯山頂(1,102メートル)の南下面に三峯集落を形成していたため、三峯門前百姓または神領百姓と呼ばれた。この地は気候が厳しく、痩地のために作付されるのは蕎麦・粟・稗・大豆・小豆などに限られ、農閑期には出稼ぎが行われるのが通例であった。

38　秩父郡武甲山之遠眺　武甲山は秩父地方の象徴であり、また神の山として住民の妙見信仰の対象ともなった。大正時代になると山の西側の石灰岩の採掘が進み、それに伴って山頂は削られてその形を変えることになる。

39　秩父郡大宮郷ヨリ武甲山ヲ遠眺　現秩父市。大宮郷の名の由来は当地に祀られた秩父神社が大宮と呼ばれたことにあるという。この地は食糧の自給自足が困難であったため、秩父銘仙の産地として繁栄した。明治17年(1884)この地の田代栄助が秩父困民党総理となり、秩父事件を起こしている。

40　秩父郡三峯山本社之景　鳥居の額の表示から秩父神社の写真である。旧国幣小社。『延喜式』神名帳所載の同社は秩父郡の総鎮守で、妙見社(宮)とも呼ばれた。三峯神社・宝登山神社とともに秩父三社に数えられる。祭神は八意思兼命・知知夫彦命・秩父宮雍仁親王。社殿は権現造。例大祭は秩父夜祭りとして名高い。

41　秩父郡秩父神社ヲ望図　タイトルには秩父神社とあるが、背景や石垣の特徴から明らかに三峯神社の写真である。同社は伊弉諾尊・伊弉冉尊を祭神として祀る。江戸時代には別当寺観音院が天台宗の修験道場として栄えたが、神仏分離令により神社となった。本殿(春日造)は寛文元年(1661)、拝殿(権現造)は寛政12年(1800)の建立であるが、いずれもその後二回にわたって改修され、現在に至っている。

42 秩父第一号

43 秩父第二号

44 秩父第三号

45 秩父第四号

46 秩父第五号

47 秩父第六号

48 秩父第七号

49 秩父第八号

50 秩父第九号

51　**大里郡熊谷駅本町之景**　現熊谷市。中山道の 8 番目の宿場。幕末の開港ののちには、武蔵の北部における蚕糸業の中心地としても活況を呈した。明治 6 年(1873)には熊谷県が誕生、熊谷寺の庫裏に県庁仮庁舎が置かれ、地方行政の中心的役割を担った。埼玉県の所属となるのは明治 9 年のことである。写真は明治初期の宿場の様子を示していて、「小間物品々」「うんどんそば」「御茶漬」「御旅館」などの看板がみえる。

52　榛沢郡深谷駅稲荷町之景　現深谷市。中山道の９番目の宿場で、江戸時代には武蔵国内の中山道宿場のうち旅籠数最多の宿場町であった。写真は宿場の入口あたりだろうか。宿場の標柱がみえ、人力車乗場があり、人力車が当時普及しつつあったことがわかる。

53　児玉郡本庄駅之景　現本庄市。明治９年(1876)に埼玉県に組み入れられ、ついで町村制施行(明治22年)によって本庄町となる。中山道の10番目の宿場として天保年間(1830—44)には道中最大の規模を誇った。明治になると高崎—本庄—神田間の乗合馬車の開通(明治５年)、また人力車・荷車の登場、日本鉄道会社高崎線の全通(明治17年)、本庄—児玉間の新道路開通(明治19年)などの陸運が発達する。写真には馬や馬車などが見え、その様子が窺える。交通の発達に伴って、本庄町は明治20年代半ばから生繭の集散地として目覚ましい発展を遂げた。ちなみに、明治11年には元老院議官佐野常民が本庄遷都の意見書を起草している。

54　高麗郡飯能町之景　現飯能市。飯能町は明治15年(1882)、久下分村・真能寺村が合併して成立した。これより先、慶応４年(1868)には上野彰義隊の残党渋沢成一郎ら約500名からなる振武軍が官軍と対峙した飯能戦争の舞台となって大きな被害を受けている。写真の右手前には荷馬と多数の俵がみえ、左の町並には「清酒」「うんどんそば」などと書かれた看板が樽状のものに立ててある。

55　児玉郡身馴川之景　現在は小山川と呼ばれる利根川中流部右岸の支流。秩父郡皆野町を源流とする。児玉郡岡部町で志戸川と合流するが、これより上流をかつては身馴川と呼んだ。図中に牛の角のように三角錐形に組まれた木材は聖牛である。武田信玄が信玄堤を築くに際して創案したといわれ、江戸時代になって各地に流布した。急流を緩やかにし、土砂の洗い出しを防ぐ効果がある。

千葉県

1　手賀沼　水域は柏市・我孫子市・東葛飾郡沼南町・印西市・印旛郡白井町にわたる。江戸時代から鰻や鴨の産地として知られた。水深は最も深いところでも１メートル弱。利根川との水位差が少ないことから、洪水のたびに利根川からの逆流を防止できなかった。江戸初期から幕末維新期まで新田開発の目的から干拓が幾度となく計画されたが、排水に問題があったため、いずれも成功していない。昭和31年(1956)機械排水によって沼水が六軒川・弁天川を経て印西市で利根川右岸に排水されるようになった結果、水害との闘いに終止符が打たれた。

2　旧牧開墾地　旧小金牧または旧佐倉牧のいずれかの地域であると思われる。両牧とも下総台地に広がり、江戸時代は幕府直轄の馬牧であった。維新後、明治政府によって東京府下の無産窮民の救済と、殖産興業政策の一環として県内最大の開墾事業の対象とされた。開墾は明治2年(1869)に始まったが、風害と野馬による作物被害などのため進捗せず、約6,000人を入植させたこの事業も明治5年に至って打ち切られた。

3　官幣大社香取神宮　現佐原市。下総国一宮であり、東国の武徳の祖神として常陸鹿島神宮と並称された。旧官幣大社。主祭神は天孫降臨に先立って国土を平定したという経津主神(伊波比主命)で、比売神・武甕槌神(鹿島神宮の主祭神)・天児屋命を配祀する。社伝には神武天皇18年の創建とあり、大和政権が東国経営の前進基地である香取の地に祀った社を創始とすると考えられている。権現造の社殿は元禄13年(1700)5代将軍徳川綱吉の造営にかかるが、昭和15年(1940)には拝殿を改築し、本殿も大規模な修繕が施された。

4　**大和田原御操練之図**　明治6年(1873)4月29日から5月1日まで、明治天皇は近衛兵を親率して印旛県千葉郡大和田村(現習志野市)に行幸し、ここで野営演習を行い、将兵とともに2日間野営した。本図の「㊤」と書かれた天幕は天皇の幕営である。野営第一夜、風雨の強いことを案じた近衛都督西郷隆盛が天機を奉伺すると、天皇は泰然として「只雨の漏るに困難す」と応じたため、西郷は恐懼して退下したという。この地は後日、天皇から習志野原と命名され、陸軍操練場とされた。なお、東京都新宿区の聖徳記念絵画館には、天皇が西郷とともに演習を統監する姿を描いた小山栄達作の日本画が展示されている。

5　**銚 子 港**　現銚子市。江戸時代には東廻り海運の湊であるとともに利根川水運の河岸で、その後も江戸の外港と称されたが、舟運は鉄道の開通により衰退を余儀なくされた。しかし鰹・鰯漁、干鰯生産等の水産業は近現代になっても盛んで、明治35年(1902)には水産組合ができた。同様に醤油醸造も発展を遂げ、明治21年銚子醤油醸造業組合が結成されている。

6　犬吠埼灯台　現銚子市。総高27.3メートル。灯質閃光色。光力180万燭光。光達距離約36キロ。霧信号・無線方位信号も発する一等灯台。犬吠埼一帯の海岸は岩礁が多く、また濃霧により船舶の航行は危険を極めていた。慶応２年(1866)イギリス公使パークスの江戸幕府への進言や英仏米蘭四国条約によってわが国最初の洋式灯台が全国８ヵ所に設置されることになった。犬吠埼灯台もその１つとして、設計・起工から２年後の明治７年(1874)11月15日に点灯された。これは日本で24番目の点灯である。設計は英国人リチャード・ヘンリー・ブラントンの手にかかり、和製煉瓦造で、最上部まで99の螺旋階段がある。

7　犬吠埼灯台　屛風ヶ浦から見た犬吠埼灯台。屛風ヶ浦は刑部崎まで10キロにわたる海抜40～50メートルの絶壁である。

8　九十九里刑部崎　行部岬とも書く。現海上郡飯岡町。屏風ヶ浦の南西端、九十九里の北端にあたる。写真は眼下にある飯岡漁港から飯岡の町並みや九十九里浜を見渡したところで、漁船脇の筵には漁獲物が天日干しされている。

9　九十九里太東崎　現夷隅郡岬町。九十九里の南端にあたり、北の刑部崎まで約55キロの日本でも有数の砂浜が続く。明治18年(1885)には太東崎より南の大原沖にかけての一帯に鮑礁が発見されたことにより、潜水器具を用いた鮑漁が発展した。

10　野島崎灯台　現安房郡白浜町。標高40メートル。一等明暗灯。光達距離33キロ。犬吠埼灯台と同じく慶応２年(1866)の四国条約によって建設されたわが国最初の洋式８灯台の１つで、官営横須賀製鉄所のフランス人技師ウェルニーらの設計。明治２年(1869)に完成・点灯し、海難防止に威力を発揮した。大正12年(1923)関東大震災のため倒壊したが、同14年に現在の灯台が再建された。したがって、これは再建前の姿を伝える貴重な写真である。野島崎は太平洋上に330メートルほど突出した岬で、かつては１つの島であったが、元禄16年(1703)の大地震によって半島状になったとされ、さらに関東大震災に伴う隆起で大岩礁地帯となった。

東京都

1　**上野教育博物館 十二枚**　現国立科学博物館の前身。明治10年(1877) 1 月に上野公園西四軒寺跡(ほぼ現在域)に建物が完成、10月には天皇・皇后・皇太后の行幸啓があった。写真は完成当時のものであろう。その後21年には湯島聖堂に移転、この建物は22年に開校した東京美術学校が使用した。昭和 6 年(1931)現在地に移転し、東京科学博物館と改称、24年に現館名となる。

2　上野教育博物館 学校模範室

3　上野教育博物館 書籍室

4　上野教育博物館
教育家参考諸器具室

5　上野教育博物館 比較解剖室

6　上野教育博物館
金石化石及日本鳥類部

7　上野教育博物館 外国獣類

8　帝国図書館　国立国会図書館の前身、のちの上野図書館。国立図書館は明治5年(1872)6月に湯島聖堂に文部省所管の書籍館《しよじやくかん》が設置されたことを始めとする。その後曲折を経て30年に帝国図書館官制が施行され、建物は39年に現在地の上野公園内に建築された。昭和23年(1948)、国立国会図書館法の施行から本館を現在の四ツ谷の迎賓館に移し、上野図書館は国会図書館支部図書館となった。平成12年(2000)には建物を一部改修し、国際こども図書館が置かれた。

9　帝国図書館 其二　閲覧室。

10　帝国図書館 其三　書庫。

11　有栖川宮邸 正面　現千代田区霞ヶ関公園付近。ジョサイア・コンドルにより設計され、明治17年(1884)に完成した。煉瓦作り2階建て建物で、当時の麴町区霞ヶ関1丁目に建てられ29年まで宮邸としたが、以後皇宮付属地となり37年以降は霞ヶ関離宮となった。

12　有栖川宮邸 表門

13　有栖川宮邸 正面

14　有栖川宮邸 正面入口

15　有栖川宮邸 南面

16　有栖川宮邸 舞踏室東南面

17　有栖川宮邸 会食堂

18　学 習 院　現千代田区錦町。華族の教育機関として神田錦町に敷地を下賜され、明治10年(1877)に学習院の校名を賜わり私立学校として開校した。しかし17年には宮内省の管轄となり官立校となる。19年に失火により写真の建物は焼失するが、門扉は現存しており、現在国の重要文化財に指定されて学習院大学戸山校舎の正門となっている。学習院は罹災後、一時三年町御料地(現千代田区)の建物に移ったが、23年に四谷尾張町御料地(現初等科所在地)に新築移転、次いで41年8月初等科と女学部を除く各学科が現在の大学所在地(豊島区目白)に移転した。

19　学 習 院

20　学習院

21　**工部大学校**　現港区虎ノ門文部省付近。日本初の官立工業学校、東京大学工学部の前身。明治6年(1873)工部省工学寮に工学校(大学・小学)が設置され、10年には工部寮を、工部大学校に改組した。11年7月15日に竣工なった新校舎で明治天皇臨席のもと開校式が行われた。しかし18年には工部省が廃止されたため文部省の管轄になった。ついで19年に帝国大学令が制定され、東京大学が帝国大学と改称されると、工部大学校はその分科大学に編入され工科大学となった。

22　工部大学校

23　工部大学校

24　参謀本部ニテ献上写真 十三枚
現千代田区永田町、彦根藩井伊家上屋敷跡の参謀本部。明治14年(1881)竣工。イタリア人カペレッティの設計になる。

25　参謀本部ニテ献上写真 十三枚

26　参謀本部ニテ献上写真 十三枚
参謀本部からみた日比谷濠方面。

27 （陸軍士官学校） 現新宿区市ヶ谷陸上自衛隊駐屯地。陸軍将校の養成機関。明治７年(1874)10月に制定された陸軍士官学校条例により設置された。校舎は７年から11年にかけて尾張徳川家上屋敷跡の市ヶ谷台に建設され、11年６月10日に開校式が行なわれた。写真の建物は７年に建設された学校本部で、関東大震災で倒壊した。士官学校は昭和12年まで市ヶ谷にあったが、生徒の増加等により神奈川県座間に移転した。

28 （陸軍士官学校）

29 （陸軍士官学校）

30 陸軍士官学校全図

31　**中央幼年学校**　現新宿区市ヶ谷陸上自衛隊駐屯地。陸軍幼年学校は陸軍士官学校生徒の養成を目的とした学校。明治29年(1896) 5 月陸軍中央幼年学校と陸軍地方幼年学校に分離改組され、中央幼年学校は31年に市ヶ谷台に新築された。地方幼年学校の修学期間は 3 年とし、その卒業生を中央幼年学校に入学させ、さらに 2 年間修学させた。大正 9 年(1920)に中央幼年学校は陸軍士官学校予科となり、地方幼年学校は陸軍幼年学校となった。その後、縮小廃止の曲折を経たが、昭和11年(1936)から復興され、太平洋戦争直後まで存在した。

32　中央幼年学校 其七　授業風景。

33　中央幼年学校 其八　授業風景。

34　中央幼年学校 其九　授業風景。

35　中央幼年学校 其十　授業風景。

36　中央幼年学校 其六　馬術訓練。

37　中央幼年学校 其十一　武術。

38　小銃製造所之景　東京砲兵工廠小銃製造所で、現文京区後楽園一帯。東京砲兵工廠は、幕府が設立した関口大砲製作所を母体として新政府が近代化を進め、明治4年(1871)に小石川の水戸徳川家上屋敷跡に工場を建設、5年の陸軍省設置に伴いその所管となった。12年には砲兵工廠条例の制定により名称を東京砲兵工廠と改めた。写真はそのうちの小銃製造所で、はじめての純国産銃の村田銃もここで生産した。大正12年(1923)以降、組織再編が相次ぐが、太平洋戦争終了まで存続した。

39　小銃庫及小銃製造所之景

40　小銃製造所内景

41　印刷局抄紙部　現北区王子。明治９年(1876)に王子村字槍溝に建設された製紙工場。紙幣の他、証券等も製造した。当時の名称は大蔵省紙幣寮抄紙局であったが、11年に印刷局抄紙部となった。図43～46に見られるように当初から機械抄紙と手漉きの設備を持ったが、明治の御維新の風潮から手漉きは時代に逆行するものとの批判もあった。12年４月には天皇の行幸があった。

42　印刷局抄紙部

43　印刷局抄紙部　抄紙機械。

44　印刷局抄紙部　抄紙機械。

45　印刷局抄紙部　抄紙機械。

46　印刷局抄紙部　手漉き場。

47　偕 行 社　現千代田区九段坂上。偕行社は陸軍将校の親睦共済団体として明治10年(1877)に設立され、招魂社(のちの靖国神社)前に本社を置き、社員である陸軍将校の醵出金によって運営した。23年2月には本社建物が竣工するが、しかし写真にはその建物が写っていないので、それ以前の状況である。本社の建物は写真の2階建て洋館の右側に建築された。偕行社は太平洋戦争後に一旦解散させられたが、昭和27年(1952)に旧将校および遺族の親睦団体として復活した。

48　偕 行 社　図47の反対側から撮影したもの。

49　明治十七年三月十日延遼館ニ於テ角力天覧之図　現中央区浜離宮恩賜庭園。明治17年(1884) 3月10日、迎賓館延遼館での天覧相撲。榎本武揚らの主催により横綱・大関以下の60番とお好みの取組15番が行なわれた。皇族・大臣・外国公使等約3000人が陪覧した。後方にみえる建物が延遼館で、明治25年撤去された。

50　逆 井 架 橋　明治初期まで中川(現旧中川)下流にあった、現在の江東区亀戸と江戸川区小松川を結んだ逆井《さかさい》の渡しに造られた船橋。明治 6 年(1873)に現在の習志野市での陸軍野営演習(千葉県図 3)に明治天皇が行幸する際に造られたもの。その後12年には、中川でははじめての橋「逆井橋」が架けられている。逆井の渡しは、広重の『名所江戸百景』に白鷺が群れ遊ぶ情景が描かれている。

新宿御料地　現新宿区新宿御苑。旧高遠藩内藤家の屋敷跡で、当時から名園の誉が高かった。維新後は国営の農業試験場となっていたが、明治12年(1879)に宮内省に移管され、試験場の跡地は皇室の植物苑となった。19年から新宿御料地、39年から新宿御苑と呼ばれた。35年から39年に掛けフランス人アンリ・マルチネーにより改造され、ほぼ現状のようになった。植物苑時代には、野菜・果実のほか、鳥や動物の飼育も行い、一帯を動物園と称した。

51　新宿御料地之景

52　新宿御料地之景

53　新宿御料地之景

54　新宿御料地之景

55　新宿御猟場動物園之図

56　新宿御料地之景　鳥檻。

57　新宿御料地鴨場之図 第一

58　新宿御料地鴨場之図 第二

59　新宿御料地鴨場之図 第三

後 楽 園　現文京区後楽１丁目。現在、都立小石川後楽園となっている。水戸徳川家上屋敷の庭園で、初代頼房が造園し２代光圀とその賓客で明の遺臣朱舜水(之瑜)により完成された。後楽園の名称は朱舜水の命名。しかし元禄16年(1703)の大地震や４代藩主宗堯の改修などで光圀までの姿はほとんど失われた。明治になりこの藩邸跡には図38～40の東京砲兵工廠が建設され、庭園は一部を破壊されたが、以後は迎賓の施設として公的な性格も具備した。しかしその後の関東大震災や戦災により庭園内の建物はほとんどが焼失した。

60　後楽園中大泉水北辺之景

61　後楽園中松林遠望之景

62　後楽園唐門之景　水戸藩邸の庭園は、書院に付属した内庭と後楽園の二つに分かれ、唐門はその境にあった門で、唐様の彫刻が施されていた。写真にみえる扁額は朱舜水の筆になり「後楽園」と書されていたが戦災により門とともに焼失した。

63　後楽園中涵徳亭之景　涵徳亭の名は享保 9 年(1724)以前に 4 代藩主宗堯の改築時の命名。そもそも初代頼房の建築になり、建物にガラス障子が塡っていたことから硝子《ビードロ》茶屋とも称されていた。明治13年(1880)に焼失し、その後数度再建されており、現在の建物は昭和61年(1986)に建てられた。明治19年 5 月天皇は、東京砲兵工廠に行幸、昼食を涵徳亭でとった。

64　後楽園中得仁堂之景　徳川光圀の創建になり、『史記』に記される「伯夷・叔斉」の木像を安置した堂。現存。

65　後楽園中円月橋之景　朱舜水の設計になると伝えられる石橋で、水に写る姿が満月に似るところからの名。現存。

66　後楽園中八卦堂之景　徳川光圀の創建になり、「文昌星」の木像を安置した堂。関東大震災で焼失し、現在基壇と灯籠の一部が残存。

67　後楽園中滝之景　白糸の滝。水戸藩6代藩主治保により造成された。現存。

68　靖国神社紀念碑　現千代田区北の丸公園田安門外。西南戦争戦死者記念碑で、近衛聯隊により建立されたもの。明治13年(1880) 5 月14日靖国神社において臨時祭を執行、勅使として侍従西四辻公業が参向した。後ろは江戸城田安門。

69　田安目附　現千代田区北の丸公園。慶長年間(1956—1615)に設けられた江戸城北の丸から九段へ通じる門。この一帯が田安台と呼ばれていたことから来る名称。門内には三卿の田安家の屋敷があった。現在の渡櫓は昭和の復元であるが、他は高麗門をはじめ江戸時代の遺構である。前掲の田安門と比し明治初期の頃と思われる。高麗門は、国の重要文化財に指定されている。

70　二重橋之景　図中には、江戸城伏見櫓および西の丸下乗橋がみえる。伏見櫓は伏見城から移築したと言い伝えられている櫓。下乗橋は通称二重橋と呼ばれている橋で、濠が深いため途中に１段橋を架け更にその上に橋を架けているためこの称がある。現在は下乗橋が鉄橋に変り、橋から続く渡櫓門は撤去され、伏見櫓と両側の多門櫓のみが残る。

71　（皇居吹上のつり橋）　旧江戸城西の丸と吹上地区を隔てる道灌濠に架かっていたつり橋。通行の便から明治５年(1872)に架橋されたが、17年からの皇居造営に際して橋に替えて通路を建設することになったため撤去された。

72　浅草公園十二階ノ写真　正しくは凌雲閣という。現台東区浅草公園内。明治23年(1890)お雇い外国人バルトン(スコットランド人)の設計により建設された。エレベーターを具備し当時としては高層ビルで浅草のシンボルとなったが、大正12年(1923)の関東大震災によって倒壊した。

大日本東京市街写真　図73の「建設中のニコライ堂」を含め、14枚が一組となっている。ほかの13枚はニコライ堂からの東京市街の景観で、360度のパノラマ写真。撮影年月は明らかでないが、明治23年(1890)に架けられた御茶ノ水橋がまだなく(図75)、19年に焼失した学習院跡の空地がみえる(図83)ことから、この４年の間に撮影されたものと思われる。撮影者は明らかでない。

73　大日本東京市街写真 十四枚　建設中のニコライ堂で、千代田区神田駿河台に現存するロシア正教の教会。正式名称は日本ハリストス正教会教団復活大聖堂。明治17年(1884)に着工し24年に完成した。建築にはジョサイア・コンドルも関わった。関東大震災で損壊したが、昭和２年(1927)から４年にかけて一部改変し復興された。平成11年(1999)には再び改修が行われて、ほぼ旧態に復した。現在国の重要文化財。

76　大日本東京市街写真 十四枚　左側の建物が東京師範学校、右端にみえる切妻の大屋根は湯島聖堂大成殿。

74　大日本東京市街写真 十四枚　水道橋方面。右側にみえる川は江戸城の外濠でもあった神田川。

75　大日本東京市街写真 十四枚　中央の大きな洋館は東京女子師範学校。

77　大日本東京市街写真 十四枚　中央にみえる門は湯島聖堂表門。その奥にみえる神社建築は神田明神社。

78　大日本東京市街写真 十四枚

79　大日本東京市街写真 十四枚　中央の橋は万世橋(現昌平橋)、その右が昌平橋(現万世橋)、次に小さくみえるのが泉橋である。万世橋の左上に秋葉原がみえる。

80　大日本東京市街写真 十四枚

83　大日本東京市街写真 十四枚　錦町方面を経て皇居を望む。中央奥の空地は図18～20に掲載の学習院の跡地。

84　大日本東京市街写真 十四枚　一ツ橋方面。

81　大日本東京市街写真 十四枚

82　大日本東京市街写真 十四枚　日本橋方面。

85　大日本東京市街写真 十四枚　江戸城北の丸、九段方面。

86　大日本東京市街写真 十四枚　三崎町方面。中央奥の広場は陸軍三崎町練兵場、その右に神田川を隔てて図38～40の東京砲兵工廠がみえる。また中央左寄りの洋館は小松宮邸。

端艇競漕写真　現墨田区向島吾妻橋付近。撮影はすべて浅草の写真師江崎礼二。海軍主催の水兵による端艇競漕会で、明治13年(1880)12月１日に第１回が開催された。写真は16年６月３日の競漕で、天皇が新小梅町(現墨田区向島)の徳川昭武邸前の特設御覧所に臨幸した。この時の様子は錦絵にもなった。この日は競漕終了後に水雷の爆発も行われ、江崎はその瞬間の撮影にも成功した(図92・93)。それまでの写真は露光時間の長い湿板写真であったが、このころ露光時間の短い乾板写真が導入され、江崎はこの技法によって端艇競漕会を撮影したもので、この時の成功で「早取り」として名をはせた。同年６月６日付けの『東京日日新聞』によればこの時撮影された写真は宮内省に献上になったというから、掲出の写真に該当しよう。

87　端艇競漕写真

88　端艇競漕写真

89　端艇競漕写真

90　端艇競漕写真

91　端艇競漕写真

92　端艇競漕写真　水雷爆発の瞬間。

93　端艇競漕写真　水雷爆発の瞬間。

94 （上野公園第二回内国勧業博覧会会場 明治14年） 内国勧業博覧会は明治政府が国内の殖産興業政策の一環として、明治10年(1877)に第１回が、14年に第２回がともに上野公園で開催された。以後36年までに京都・大阪などで５回行なわれている。第２回は14年３月１日から６月30日までの会期で、約33万点が出品され約82万人の人人が訪れた。写真は博物館本館建物前に建設された開会式場。

95 （上野公園第二回内国勧業博覧会場 明治14年） 会場は、現上野動物園前広場付近を正面入口として、博物館本館に至る一帯。

96 （上野公園第二回内国勧業博覧会場 明治14年） 工事中の会場。

97 （上野公園第二回内国勧業博覧会場 明治14年） 第一農業館。

98 （上野公園第二回内国勧業博覧会場 明治14年） 第一機械館。

99 （上野公園第二回内国勧業博覧会場 明治14年） 第一動物館。

100　（上野公園第二回内国勧業博覧会場 明治14年）　旧帝国博物館本館。この建物は明治14年(1881)に現在の東京国立博物館本館の位置にジョサイア・コンドルの設計によりインドイスラム様式を採用して建てられた。日本におけるコンドル設計の建物で初期の代表作とされる。竣工後すぐに第二回内国博覧会の美術館として使用され、博覧会終了後、本来の帝国博物館(33年に東京帝室博物館と改称)本館となった。しかし関東大震災で入口部分が大きく崩壊したため、取り壊された。

101　明治三十六年一月第五回内国勧業博覧会出品女子職業学校生徒製作品　女子職業学校は、明治19年(1886)に鳩山春子らによって創設された学校で、現在の共立女子学園。36年に大阪で開催された第5回内国勧業博覧会への出品作品。

102　明治三十六年一月第五回内国勧業博覧会出品女子職業学校生徒製作品 其二

103　女子職業学校ニ於テ聖路易博覧会出品製作　明治37年(1904) 4月に開催のアメリカのセントルイス(聖路易)での万国博覧会出品のための作品の製作風景。

104　女子職業学校ニ於テ聖路易博覧会出品製作
其二

105　女子職業学校ニ於テ聖路易博覧会出品製作
其三

106　女子職業学校ニ於テ聖路易博覧会出品製作
其四

107　女子職業学校ニ於テ聖路易博覧会出品製作 其五

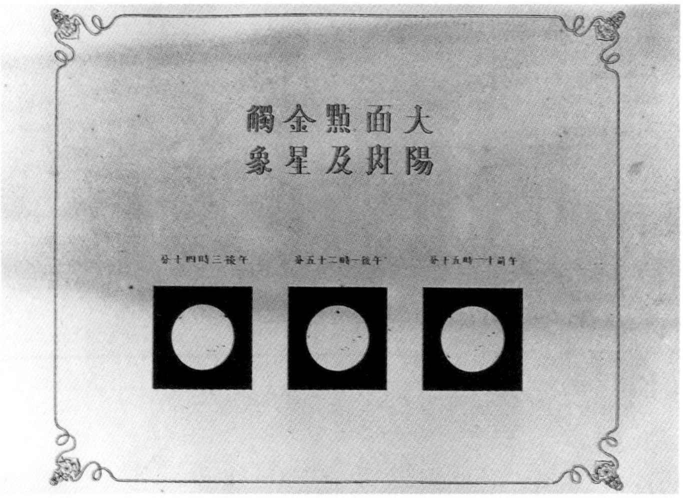

108　太陽面斑点及金星触象

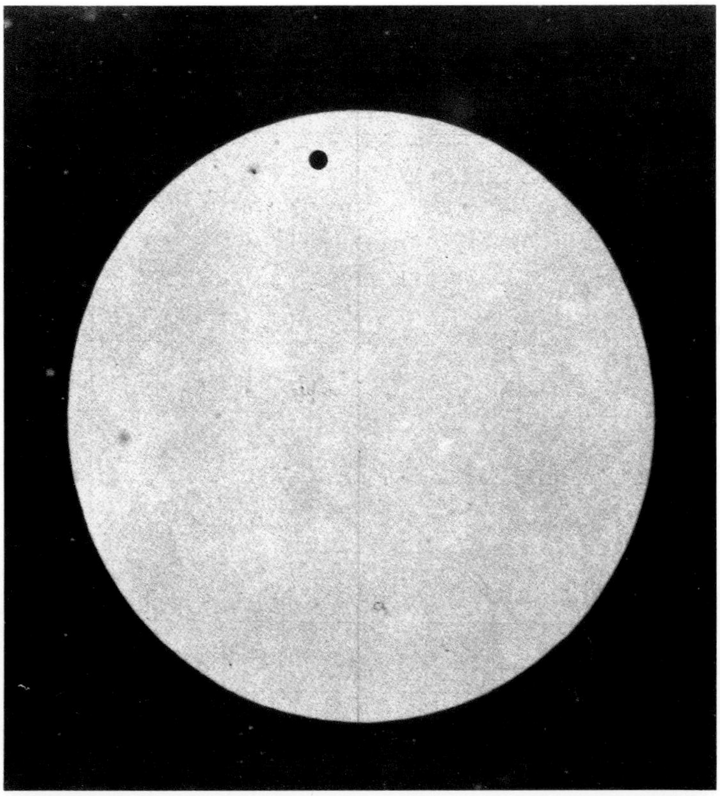

109　金星太陽面通過写真　明治7年(1874)12月9日、天文学上でも大変珍しい金星と太陽とが重なるという現象が起きた。この現象を観測する地点に日本が適しているということで、アメリカなど数ヵ国から観測隊が来日している。図108は金星の動きを示しているが、写真ではなく印刷物である。「水路寮出仕　狩野応信謹図」とあるから、海軍省が写真をもとに作図し印刷したと思われる。本図は正真の鶏卵紙写真である。いずれも太陽上部に見える点が金星であろう。『東京日日新聞』によると、観測は「目鏡は写影を厚紙に顕はし出すの法にて、数人同時にこれを見る事を得べし」「金星の蝕影一小点と顕はせり」という状況のようで、写真も厚紙に写った像を撮影した。観測地はアメリカ隊は長崎であったが、東京でも、品川の御殿山(現品川区北品川)で内務省地理寮御雇英人技師ヘンリー・シャボーによって観測され、英人ブラックをして撮影せしめている。本図はおそらくこの時に撮影されたものであろう。なお、明治天皇も吹上御苑内操練場で午後1時過ぎから約2時間にわたって、同様の方法でこの現象を観察した。

小笠原島写真　近代におけるわが国の本格的な小笠原調査は、明治８年(1875)に内務省により行われた。このときの調査では外務省出仕田辺太一、内務省地理寮出仕小花作助《おばなさくすけ》(初代小笠原出張所長)らが中心となり、その中に写真師として松崎晋二が参加している。この時に松崎が撮影した写真は東京国立博物館や父島などに伝わっている。しかし、ここにみられる写真は松崎の撮影したものとは異なり、時期もそれ以後と考えられる。明治天皇は、明治16、18、22、29、33、36、39、42年に島情視察のため侍従を差遣しているので、そのいずれかの時の写真と思われるが、明治も後半には降らない時期であろう。

110　小笠原島写真 扇浦海岸ノ図　父島。扇浦は二見湾最奥部の浜。扇浦には明治９年(1876)12月内務省出張所が設置された。出張所後ろの納涼山には時の内務卿大久保利通の撰文になる「開拓小笠原島之碑」が建つ。

111　小笠原島写真 洲崎海岸ノ図　父島。洲崎は幕末に渡来した欧米人がはじめに居住したところ。

112　小笠原島写真 洲崎ペルリ山ヨリ山羊山及同所レゾワ宅地ヲ見ル図

113　小笠原島写真 洲崎フロスパレゾワ宅地ノ図　父島。プロスパ=レゾワはフランス人で、明治15年(1882)に在島外国人が日本に帰化した時にいっしょに帰化した。帰化した人人の中でレゾワは年長者であり人望も厚かったようで、他の一人とともに帰化人の世話役を命じられている。本図の中央の人物であろう。また、レゾワは洲崎と扇浦間に自費を以て道路を開き、その功により徳功卓絶なる者に贈られる緑綬褒章を授与されたという。図112タイトルの山羊山は野羊山の誤り。

114　小笠原島写真 北袋沢八ツ瀬橋ノ図　父島。八ツ瀬橋は島中を流れる八ツ瀬川の北袋沢地区に架かる橋。北袋沢は島内でも平広肥潤の土地で明治12年(1879)勧農局出張所が置かれ、種々植物の育成が行われた。

115　小笠原島写真 長谷川常三郎蜜蜂ノ図　小笠原での養蜂は、明治13年(1880)勧農局出張所の武田昌次がイタリアから蜂を輸入したことに始まる。通年で蜜を採取することができるため、盛んに行われたようで、明治末には父島だけでも300以上の蜂群がいたといわれる。『小笠原島誌纂』によると武田は暫く蜂を育養したが、15年に父島二子村の長谷川某に譲ったというから、あるいはこの某が常三郎であるかも知れない。

116　小笠原島写真 母島沖村出張所ノ図　母島。小笠原諸島は明治13年(1880)東京府の管轄に置かれ、内務省出張所を東京府出張所と改め、次いで19年には小笠原島庁となる。沖村に置かれた出張所はその母島出張所か。現在沖村という村名はないが、東京都小笠原支庁母島出張所が置かれている。

117　小笠原島写真 母島沖村ロース屋敷ノ図
ロースはドイツ人フレデリッキ=ロルフス(日本名良志羅留普《ロースロルフス》)。ロースは通称。明治11年(1878)母島で帰化した。母島で建材や生活用品に利用される石材を発見し、ロース石と名付けられた。30年５月75歳で没する。現在ロース記念館がある。写真にみられる家屋は、当時の小笠原のごく普通の形状で、島は風が強く普通の建て方では倒壊の恐れもあるため、柱は地中数尺まで埋め、堅木にて棟・梁を組み、外面は棕櫚の葉で覆ったという。

118　小笠原島写真 母島沖村東橋ヨリ鈴木小松ノ家ヲ見ル図

119　小笠原島写真 母島沖村脇浜人家ノ図
脇浜は沖村の西に位置する浜で、鮫ヶ浜とも呼ばれた。

120　小笠原島写真 母島沖村ワキハマ海岸ヲ横ニ見ル図

121　小笠原島写真 母島北港人家ノ図

122　小笠原島写真 沖山勇松パインアップル畑ノ図　沖山は明治11年(1878)に千年丸で移植した22名の一人。しかし居住先は明らかでない。

神奈川県

1　海 門 艦　軍艦海門艦の進水式の様子。海門艦は、排水量1,352トン。明治10年(1877)9月、製造に着手し、明治15年8月28日、横須賀海軍造船所で進水式が行われた。東伏見宮嘉彰親王(のちの小松宮彰仁親王)を迎えて行われた進水式は、艦首にくす玉を飾り、鳩を放すなど華やかなものとなった。進水式に鳩を放すことは、これが最初であったという。日露戦争中の明治37年7月5日、黄海にて掃海作業中触雷沈没。

2　海門艦進水後之写真

横須賀造船場　現横須賀市。江戸幕府が建設、明治新政府が継承した官営造船所。明治5年(1872)10月海軍の強い意向により同省の管轄となり、明治22年呉海軍造船所が開設されるまでは唯一の海軍造船所として軍艦建造にあたることとなった。明治36年、横須賀海軍工廠となる。建造中の艦船は、軍艦迅鯨で進水式直前の状況と思われる。迅鯨は、明治6年9月起工され、9年9月4日進水した国産艦である。フランス人技師ヴェルニーによる設計で、1,364トン13ノット、小砲4門を持つ木造外車艦であった。本艦は外海御召艦として設計されたため、艦内設備は豪華なものであった。明治42年廃船。

3　横須賀造船場

4　横須賀造船場 共三

5　郡司大尉一行写真 一行ノ図　出発前の記念写真で、前列右から3番目の将校服を着ている人物が郡司大尉。

6　郡司大尉一行写真 一行ノ家族ノ図　出発前に同じ場所での記念写真。

占守島へ出帆する郡司大尉一行　明治8年(1875)5月ロシアとの間に千島・樺太交換条約が締結され、千島列島が日本領となった。しかし日本領となったとはいえ、これら北方の島々に移住する人々はなく、この事態を憂慮した海軍大尉郡司成忠《ぐんじしげただ》はみずから列島最北端の占守《しゅむしゅ》島への移住を決意し、現役を引き報効義会を組織、26年3月20日同志38名とともに5艘の小舟で隅田川言問橋付近を出帆した。当日はこの壮挙を一目見ようとする人々で混雑を極めたようで、『東京日日新聞』の伝えるところでは「隅田堤の雑踏は殆んど花時に倍する計り」であり、隅田川には「諸

7　郡司大尉一行写真 出帆準備中

8　郡司大尉一行写真 出帆ノ図

9　郡司大尉一行写真 出帆ノ図

↘学校・諸団体の端艇を始め伝馬船・荷足船は所狭きまでに」言問橋付近に集まったという。しかし、これらの写真は背景から考えて隅田川ではないと思われる。一行は言問橋付近を出発した後、横須賀の長浦に行き、そこで家族との別宴を開き、3月22日に出帆したというので、写真もその際に撮られたものであろうか。島での開拓は1次、2次と約10年間続けられたがこれといった成果もなく、37年成忠は失意のうちに帰京した。成忠は幕臣幸田成延の次男で郡司家の養子。作家幸田露半・史学者幸田成友の実兄にあたる。

10　郡司大尉一行写真 出帆ノ図

新潟県

1　**新潟農事試験場ノ図**　明治8年(1875)中蒲原郡下所島新田に新潟樹芸場が開設され、10年2月新潟農事試験場と改称した。全国から教師を招き、講習生を募り、農業者の養成を企図し、果樹・蔬菜・家畜・乳製品等の技術を指導した。明治天皇巡幸時、宮内卿徳大寺実則等を差遣した。13年新潟県勧農場と改称、出来島新田に移転した。

2　新潟学校ノ図　新潟港の開港に伴い英語教育が急務となり、明治5年(1872)本町通六番町に洋学校が設立され、翌年白山社地に移転、新潟学校と改称、ついで同地に洋風の校舎が建てられた。10年官立師範学校・英語学校の建物を引つぎ学校町通に移転、2校の白亜の洋式建築は新潟の名所といわれた。県立師範学校をも合わせ、改めて新潟学校と称した。11年9月17日明治天皇の行幸を迎えた。19年新潟県尋常師範学校となるが、23年焼失し、常盤岡の地に移転し新潟師範学校となる。図3と続き写真で、本図が英語学校、図3が官立師範学校である。

3　新潟学校ノ図

4　新潟医学所之図　明治６年(1873)町会所内に新潟病院が開設、南山砂丘の長岡藩備荒倉跡に教場を設け、オランダ人ヘーデンを招き、医学教育を行なった。９年県立に移管され、翌年新潟病院医学所と改称、11年９月17日の明治天皇の臨幸に合わせ洋風二階建てに改築された。12年７月新潟病院を新潟医学校とし病院を付属、やがて甲種新潟医学校に昇格したが、21年３月に至り経費負担に耐えられず廃校となった。

5　新潟医学校之図

6　第六大区第一中学区第十一番小学曽根校 北面　現西蒲原郡西川町。旧長岡藩の曽根代官所跡を明治10年(1877)曽根小学校が校舎として使用した。同34年大火により焼失した。

7　第六大区第一中学区第十一番小学曽根校 西面

8　佐渡ノ国相川鉱山分局製鉱所之図 其二

佐渡鉱山　佐渡鉱山は維新後大蔵省、民部省、工部省、農商務省と管轄が変り、明治19年(1886)再び大蔵省に移管、鉱山局佐渡分局がおかれた。ついで22年帝室財産に編入、御料局佐渡支庁の管掌するところとなったが、29年民間(三菱)に払下げられた。明治11年９月巡幸中の明治天皇は、順徳天皇遺跡調査のため侍従富小路敬直を佐渡に差遣、敬直は真野の遺跡を調査の後、相川に到り、洋式設備のなった鉱山を視察、佐渡製鉱所写真図２葉を携え帰着したという。図８・９は二枚続きの写真で中央を濁川が流れ、右方は沈澱池である。

9　佐渡ノ国相川鉱山分局製鉱所之図

10　新潟県下蒲原郡田野村石油　現新津市田家《たい》。原題の「田野村」は「田家村」の誤カ。慶長18年(1613)新田開発中に田家の山中の煮坪《にえつぼ》で露頭が発見され、草生水《くそうず》として知られた。「六角形の小池にして水深六間許、水面中央に沸々として天然瓦斯の放散するを見る。池の縁端には石油浮漂し、其色緑黒…」と『地名辞書』にあり、明治11年巡行中の天皇は写真師を遣わして真形を写させたと当時の新聞は伝えている。草につけて水と油を分離させるという。新津油田は明治9年(1876)工部省雇のライマンにより調査報告がなされ、26年手掘りから上総掘りによる採油を開始、明治・大正期には一帯は活況を呈したが、昭和初期衰退した。

11　新潟湊之景　信濃川の河口にある新潟港は、上流より運ばれる土砂のため深浅定まらず、水先案内の水戸教《みときよう》があり、寛政年間(1789—1801)より伊藤仁太郎家が世襲してきた。明治3年(1870)より船舶出入注進番となり、13年より水戸教導仮規則による公的事業となった。櫓を建てて船を見張り、水深を万国信号で船に知らせたという。水戸番屋・仁太郎小屋と呼ばれていた。

12　新潟公園地ノ図　明治5年(1872)県令楠本正隆の発案により旧白山神社境内に白山遊園がつくられた。信濃川に臨み弥彦・角田山を眺望する景勝の地である。明治天皇巡幸に際し、南方小丘上に野立所を設け美由岐賀岡と称した。公園はのち白山公園と改称、23年県から市に移管された。三条実美の題字、秋月種樹の撰文になる新潟遊園碑によれば、池を穿ち花を植え、オランダの庭園を模したという。

13　新潟信濃川ノ景

14　新潟県下弥彦神社ノ図　弥彦神社は現西蒲原郡弥彦村にあり、天香語山命を祭神とする越後国一宮で、もとは国幣中社。明治11年(1878) 9月16日北陸巡幸の途次明治天皇が参拝した。その後45年3月11日類火により社殿は焼失し、大正5年(1916)古絵図に基き社殿の位置を変えて再建された。旧本殿跡は二の鳥居のかたわらに残っている。鳥居の控柱にみえる「神道事務支局」「神道小教院」は神道宣布のため中央に置かれた機関の支部。

15　新潟県下弥彦本社ノ図

16　新潟県下出雲崎ノ図　現三島郡出雲崎町。出雲崎は、江戸時代幕府領として代官所がおかれ、宿駅と港の両面を持つ陸海路の要衝として栄えた。佐渡の金銀の運送、江戸・上方との物資の集散地として重要な役割を果し、明治中期より石油採掘で再び活況を呈した。明治天皇は北陸巡幸の途次11年9月14日この地に到り、光照寺を行在所とした。

17　北陸道越後国(自市振駅至青海駅)新道開鑿之真影
一号 字親不知　北陸道市振青海間は断崖を波が洗う親不知の難所で古来旅人は難渋してきた。明治15年(1882)政府の手により中腹に新道の開削が着工され、7万円の巨費を投じ、翌年末開通をみた。

18　北陸道越後国(自市振駅至青海駅)新道開鑿之真影
二号 字籠岩隧道西口

19　北陸道越後国(自市振駅至青海駅)新道開鑿之真影
三号 字籠岩隧道東口

20　北陸道越後国(自市振駅至青海駅)新道開鑿之真影
四号 字孫右衛門岩

21　北陸道越後国(自市振駅至青海駅)新道開鑿之真影
六号　字駒返シ

22　北陸道越後国(自市振駅至青海駅)新道開鑿之真影
八号　字長走

明治三十年新潟県中頸城郡高田町直江津町水害写真　上越市(高田・直江津)は明治期もしばしば風水害に見舞われ、その中で最大のものは明治30年(1897) 8 月の洪水であった。関川・保倉川など諸河川が氾濫し、大きな被害が生じた。浸水家屋は，高田2,255戸、直江津80戸(1,700戸とも)に及んだ。関川に架かる荒川橋は、明治 5 年住吉神社から川原町に架設され、11年明治天皇が巡幸の際渡ったが、洪水で流失し、35年現在地に架け変えられた。20年に竣工の永代橋も流失し、36年町営の橋として生れかわった。また明治18年より直江津を起点に敷設されてきた信越線も損傷破壊され、直江津の駅舎もこの後位置を換えて建設された。北越線工事では保倉川に架かる鉄橋の築堤を破壊して周辺を守った。市中を舟で往来したという惨状をうかがわせる貴重な写真である。

23　明治三十年新潟県中頸城郡高田町直江津町水害写真

24　明治三十年新潟県中頸城郡高田町直江津町水害写真

25　明治三十年新潟県中頸城郡高田町直江津町水害写真

26　明治三十年新潟県中頸城郡高田町直江津町水害写真

27　明治三十年新潟県中頸城郡
高田町直江津町水害写真

28　明治三十年新潟県中頸城郡
高田町直江津町水害写真

29　明治三十年新潟県中頸城郡
高田町直江津町水害写真

30　明治三十年新潟県中頸城郡
高田町直江津町水害写真

富山県

1　**越中国高岡育英校ノ図**　はじめ「南之学校」といい、明治7年(1874)公立の小学校として、高岡片原横町の旧町奉行役宅に開設、ついで9年9月同所に校舎を新築するとともに，校名を育英校と称した。校舎は洋風二階建てで、県下第一の規模を誇った。総工費1万8千円余にのぼったという。開校ののち、既設の5小学校を統合し、また女子のみの小学校(怡柔《いじゅう》小学校という)を併設した。なお、11年10月1日明治天皇の巡幸の際の御昼餐所にあてられた。17年2月焼失、21年10月再建を見、28年5月校名を市立高岡尋常高等小学校と改めた。本図は、焼失以前の校舎。ちなみに、明治7年の高岡の就学児童は700人余りで、学齢児童数の約五分の一程度であったという。

2　越中国射水郡伏木修静校ノ図　現高岡市。富山県(当時新川《にいかわ》県と称する)内に設立された最初の小学校で、明治6年(1873) 2月創立された。開校時の生徒数は、約150人といわれる。設立の資金などは伏木の資産家藤井能三の醵出によるものである。その教科も能三の考えにより、特に英語が加えられ、課外ながら討論《スピーチ》会も行われたという。校名ははじめ公立伏木小学校、ついで大成小学校と称し、8年9月県下で最初の洋風二階建て校舎を新築し、修静校と改称された。

3　越中国新川郡山崎村元理小学校　文理小学校の誤カ。現朝日町。明治6年(1873) 8月25日創立、吉祥院を仮借して開設、8年6月校舎の新築工事を始め9年8月竣功した。校舎は3層の茅葺きで、面積は凡そ100坪あった。

4　越中国新川郡入膳村自卑小学校　明治5年(1872)学制公布の後、6年6月12日入膳小学校の創立をみた。翌年自卑小学校と改称、養照寺をもって仮校舎となし、同9年4月80坪の校舎を新築、移転した。本図は新築の校舎。

5　越中国新川郡若栗村小学校ノ図　現黒部市。明治6年(1873)創立、寛栗小学校と称した。はじめ真照寺境内に仮設、7年7月15日新築移転した。4教室を備えた郡内最初の新築校舎であったという。22年寛栗小学校廃校、翌年若栗簡易小学校、28年尋常小学校となる。

6　越中国新川郡魚津小学校建築ノ景況　現魚津市大町の大町小学校。明治6年(1873)4月16日、旧魚津町奉行御貸屋を校舎として魚津第一番小学校が開校した。翌年明理小学校と改称、3月旧新川県庁舎に移転した。さらに12年4月15日大町の旧魚津城跡に校舎を新築移転した。一階中央に校長室・職員室等を配し、両翼及び二階を教室とする平面図(『魚津市史』下所収)とも合致する。明治天皇の巡幸中行在所において建築中の写真を献上したという。

7　越中国射水郡新湊三ヶ新村正本校ノ図　現新湊市。明治6年(1873)3月新湊町川東二番小学校として開校、ついで8年1月校名を正本校(現地ではショウホンと読んでいる)と定めた。その字句は中国の史書『漢書』に「視大始而欲正本也」とあるのによるという。三ヶ新村は、現在の庄川の河口付近に位置した。現中伏木小学校を継承校とする。

8　越中国新川郡魚津町区務所ノ図　維新後富山県においてはことに行政区画の改変が多く繁雑を極めるが、明治11年(1878) 7月22日郡区町村編制法公布により、同年11月新川郡は上下に分たれ、下新川郡役所が魚津町におかれた。当初大町にあって旧藩主の御旅屋であった区務所を郡衙に当てたが、25年4月18日に至り、旧病院をもって郡役所となし移転した。

9　越中国高岡国幣中社射水神社ノ図　現高岡市。延喜5年(927)撰進の『延喜式』神名帳に登載の神社。明治4年(1871)国幣中社に列せられた。祭神は二上《ふたかみ》神とされ、また古くより二上権現とよばれて射水郡二上山麓に祀られてきたが、明治8年高岡公園本丸跡の現在地に社殿を造営、遷座した。写真は、その拝殿と装束した神職の姿。なお、旧社はいま二上射水神社と称し、古神事などが伝承されている。

10　越中国高岡郷社関野神社ノ図　現高岡市。社伝によると、古く射水郡水戸田山中の熊野社を関野(高岡の旧称)に勧請、この地の鎮守としたのに始まる。明治5年(1872)郷社に列せられた。なお、大正8年(1919)高岡の開祖前田利長を祀った県社高岡神社と合併して県社高岡関野神社と称するようになった。

11　越中国高岡瑞竜寺ノ図　加賀藩3代藩主前田利常が先代藩主利長の菩提寺として、利長終焉の地高岡に建立した曹洞宗の寺院。山号高岡山。正保年間(1644-48)に起工、寛文3年(1663)に竣工を見た。江戸初期禅宗寺院の代表的建築といわれ、諸伽藍を完備し、国宝建造物3件、重要文化財建造物4件を数える。写真は国宝の仏殿で、万治2年(1659)の建造、鉛板葺きの屋根が珍しく、その遺例はこのほかには金沢城石川門に1例を見るのみである。

12　越中射水郡朝日村上日寺ノ図 二枚ノ内本堂　現氷見市朝日本町。寺伝では、白鳳10年(天武天皇10年、681)創建という真言宗の寺院。山号朝日山、本尊千手観音。室町時代末期の作といわれる伽藍境内図が伝来する。

13　越中射水郡朝日村上日寺ノ図 二枚ノ内観音堂

14　越中国新川郡愛本飛橋 其一橋ノ景　宇奈月町の下立・愛本地区を結ぶ黒部川扇状地の扇頂部に架けられていた刎《はね》橋。寛文２年(1662)笹井正芳の考案による橋脚を持たない特異な工法の橋で、深い谷にも架すことができた。これにより黒部川の増水する夏期の通行が容易となり、またあたりの景観と調和した美しい姿は文人・画家にとりあげられたが、破損・修理もしばしばで、文久２年(1862)の架換を最後として明治24年(1891)老朽化を期に木造アーチ橋に改築され、のち下流に鋼製の橋が架けられた。

15　越中国新川郡愛本飛橋 其二側面ノ図

16　越中国新川郡愛本飛橋 其三北海眺望ノ図

17　越中国新川郡泊町村ノ景　現朝日町。明治11年(1878) 9月28日、明治天皇は北陸巡幸の途次、泊の伊東祐明宅に1泊、入膳に向った。「随分拝見人モ夥シ」と新聞は伝えている。泊は黒部川の河流の変更による海岸浸食によって享保3年(1718)現在地に移転、街道の両側に新しく屋敷地を配し、以後交通の要衝として黒東地方の中心であった。

18　越中国新川郡泊町村八幡社 其一　現朝日町泊の脇子八幡宮ヵ。もと国境鎮護のため宮崎村の南方八幡山にあり、戦国時代に山麓の現在地に移った。誉田別尊・豊城入彦尊・事代主神及び北陸宮を祀る。北陸宮は後白河天皇の皇子以仁王の子で、平氏追討の兵を挙げた以仁王が宇治において敗死の後、この地に逃れ住んだ。寿永2年(1183)木曾義仲は北陸宮を擁して京に攻め上った。明治6年(1873) 8月郷社に列せられた。

19　越中国新川郡泊町村八幡社 其二

20　越中国新川郡入膳村ノ景　古くは入善庄と書いたが、江戸初期より入膳村と称した。明治22年(1889)周辺の村を合し入善町となる。明治11年9月29日泊を発した明治天皇は、当初の予定浦山通に換えて入膳通を通り、黒部川に舟橋を架け、肩輿に乗り渡河した。黒部川は立山連峰の数百の渓流を聚め、水流激しく一旦暴漲すれば水如海と言われ、常に交通遮断の危険に脅かされていた。

21　越中国新川郡舟見村ノ景　現入善町舟見。往古舟見は、現在より東方にあり、現在地に移るに当り、民家48戸を道路の両側に24戸ずつ配し、南端の東側に氏神八幡社を、北端の西側に雲竜寺を建立して村の基礎となしたという。愛本橋の完成により寛文3年(1663)上街道の宿駅に定められた。『越中宝鑑』には旧国主前田公御本陣ノ景を載せるが、本陣の遺構の一部が現在も残っている。図22の八幡社は旧村社、誉田別命・天照皇大神の2座を祀る。なお、図22の「母見」は「舟見」の誤り。

22　越中国新川郡母見村八幡社ノ図

23　越中国新川郡三日市村景　三日市は泊より浦山通・入膳通のいずれかを経て魚津に至る交通の要衝であった。明治11年(1878) 9 月29日明治天皇は入膳を経て三日市に馬車を駐め、島直平宅にて午餐をとった。三日市はのちに桜井町となり、現在は黒部市の中心地である。

24　越中国新川郡三日市村県社ノ景　延喜式式内社の八心大市比古神社。祭神は大山祇命・少彦名命・軻遇突智命。鎌倉時代三島大明神と称したが、明治維新に際し旧に復し、6 年 8 月県社に列した。明治天皇の北陸巡幸の行在所御座所の建物が大正 4 年(1915)即位礼を記念して同神社に寄付された。

25　越中国新川郡三日市村天満社ノ景　三日市桜にあり、宝治年中(1247-49)北条時頼が佐野源左衛門常世にこの地を与えた時、源左衛門の信仰する天神を郷中惣社として社殿を建立した。永正 2 年(1505)長尾景虎の兵火に罹り焼失、荒廃したが、のち市中の信徒が再興したという。

26　越中国新川郡下村木村大泉寺ノ景　現魚津市下村木町にある浄土宗の寺。創立は弘治元年(1555)に遡る。かつて松倉城下にあって城主の椎名氏の菩提寺であったが落城後魚津町に移り、さらに延宝元年(1673)下村木村に移ったという。明治11年(1878)の明治天皇の北陸巡幸の際、魚津行在所の非常御立退所に予定された。門前の神明川に大泉寺橋が架っている。

27　石川県越中国新川郡水橋町立山ノ図　現富山市。水橋は常願寺川河口に位置し、中央に白岩川が流れているが、かつて両川は上流で合流して水橋川と呼ばれていた。明治2年(1869)白岩川に木橋を架けるに当り、山王日吉神社(現水橋神社)の巨木を切ってその用材となした。橋は立山橋と呼ばれ、長さ135間、幅3間、現在の東西橋の位置である。

28　越中国富山神通川舟橋　富山の七軒町と船頭町間の神通川に架けられていた神通橋は、明治16年(1883)木橋となるまで藩政時代からの舟橋の面影を留めていた。64艘の舟を鎖にて繋ぎ、長さ4丁余、幅2尺余、板を渡して橋となした。『明治天皇巡幸図絵』にも描かれる通り、明治11年10月1日天皇は前夜写真で見た舟橋を板輿にて渡った。しかし神通川はしばしば氾濫をくり返したため、大正11年(1922)の改修に際し水路が変り、木橋は撤去された。両岸跡地に記念の常夜灯が残っている。

29　越中国富山神通川舟橋

30　越中国新川郡小川温泉ノ景 泉源ノ景　現朝日町湯の瀬の小川温泉元湯は、発見は江戸時代以前に遡り、越道峠を経て朝日岳や白馬岳に至る登山口にあり、小川の傍の流紋岩の間から湧出する。かつて源泉近くに宿があり、筧で湯を引いていたが、明治45年(1912)の大水で浴舎は流失、新たに遠く13キロを湯を引いて小川温泉が開業、ついで元湯も再建された。源泉近くに不老の滝がある。

31　越中国新川郡温泉ノ景 其二浴室ノ景

32　越中国新川郡浦山村ノ景　浦山は現宇奈月町。かつては大伴家持の故事によりあたり一帯を雞野と称したが、寛文２年(1662)愛本に刎《はね》橋が架けられると往還の宿駅となり、加賀藩主の宿泊する御旅屋《おたや》や本陣を中心とする街並が発達した。中央を縦断する用水の両側に家並が続く様は藩政時代の街並絵図に見る通りで、往時の面影を残している。明治11年(1878)の明治天皇の巡幸では当初通る予定であったが、黒部川が渡河可能であったため、入膳通を採用した。

33　越中国新川郡浦山村々社景　往古小頭山上野原に鎮座、のち馬場割の地に遷座、明治43年(1910)に至り熊野社に神明社・天満宮・八幡社等の祭神を合祀し、総社号を雞野神社と称した。大伴家持がこの地に宿り、社の中から鶏鳴をきき、雞野と名付け、詠歌を奉納した故事に因む。「鶏の音もきこえぬさとに終夜月よりほかに訪ふ人もなし」

34　越中国新川郡天神野新村高円堂ノ景　魚津の天神山北西山麓天神野開拓のために掘削された用水である。工事は慶安2年(1649)より3年を要し、約4キロ、高円堂谷を埋立てるという難工事の末完成、明暦2年(1656)より万治元年(1658)にかけての開拓で天神野新村が出来、のち千石余の新田が開かれた。

35　石川県越中国新川郡東岩瀬湊　現富山市東岩瀬港は神通川の河口にあって、越中では伏木港と並ぶ良港であった。明治に入って交易の大規模化に伴い、背後の富山の経済力と相俟って発展した。のち神通川河口と切はなして修築され、富山の近代的工業発達の基盤をなした。

36　越中国射水郡大門橋ノ図　現射水郡大門《だいもん》町。大門は北陸街道の旧宿場で、庄川の右岸にあり、橋は全長82間、対岸の枇杷首《びわのくび》の地区を結び街道は隣接の高岡に至る。嘉永元年(1846)9月はじめて架設、その後明治以降では明治6年(1873)洪水により流出して仮橋が架けられたが、同10年に明年の巡幸にそなえて本橋が架けられたのをはじめとして数次の架設が行われた。

37　越中国高岡町公園ヨリ二上山ヲ望ム景
公園は高岡城跡(前田利長の隠居後の居城、元和元年(1615)廃城後藩倉として明治に至る)を明治８年(1875)公園としたもの。面積７万２千余坪。写真は、初期の園内の景観と高岡西郊の二上山(標高274メートル)の眺望を示すもの。二上山は越中国府(現高岡市伏木)に近く、その山容は大伴家持らの詠ずるところであった。

38　越中国射水郡伏木港ノ図　現高岡市。富山湾に注ぐ小矢部川河口の港。藩政時代には越中米の積出しや藩用材の荷下ろしなどで賑わい、明治初期には、明治８年(1875)に三菱汽船の定期回航が始まるとともに、洋式灯台設置(明治10年)をはじめ港湾設備が整えられ、県外への貨客の輸送が盛んに行われることになった。ついで明治22年特別輸出港に指定された。ちなみに、明治11年の巡幸の途次、明治天皇は供奉の参議大隈重信をしてその景況を視察・復命させ、また灯台建設などに尽力した伏木町民藤井能三に賞賜した。

39　越中国射水郡氷見唐島ヨリ灘浦ヲ眺ム景
現氷見市。氷見は富山湾の北西部に臨む漁業を中心とした町。唐島はその沖300メートルにある小島。灘浦は氷見北部の阿《あ》尾《お》地区から富山県端を経て能登七尾湾口に至る海岸寄りの一帯をいい、その沖合は江戸時代以来の台網(定置網)の漁場である。

40　越中国射水郡布施湖ノ景　現氷見市。現在十二町潟とよばれている。奈良時代には布勢水海とよばれた広大で、風光絶佳の湖沼であったらしく、以後も名勝の地として文人の間に有名で、松尾芭蕉もその名に惹かれて立ち寄ろうとしたことが『奥の細道』にみえている。主として藩政初期以来の干拓の結果、現在は長さ2キロ、幅200メートル程度の潟湖となっている。

41　越中国射水郡布施湖簀曳漁ノ図　鯔《ぼら》の幼魚を追いかけて、水上に浮かべた竹簀の上に躍り上がったところをとらえる簀引《すびき》漁の状景。布施湖では江戸初期の明暦の頃(1655-58)に始められ、夏季の漁期には湖面を賑わせたが、湖の埋立が進み、明治20年(1887)頃廃止されたという。

42　越中国射水郡太田村義経雨晴ノ景　現高岡市太田。「雨晴《あまはらし》」の地名は、源義経主従の奥州に落ちのびるとき、この海岸の岩陰でにわか雨を晴らしたという義経伝説に由来する。写真中央部の松のある岩がその岩とされている。なお、この一帯の海岸は越中の国府に近く、大伴家持がしばしば出遊して、「渋谷《しぶたに》の清き磯廻《いそみ》」と詠じた万葉の故地でもある。

43　越中国射水郡島村轟用水ノ図　島村は現射水郡大門町島。轟用水という名は、用水の掛け樋から落下する水音の大きかったことによるものという。『射水郡志』によると涌泉を水源とした用水。現在北野牧野合口用水を形成し、近辺の地域を灌漑する。

44　石川県越中国新川郡昨十年常願寺川洪水ニ際シ堤防破壊シ町袋村領耕地内へ入川ノ痕跡　常願寺川は立山連峰に源を発し、急峻な地勢と水量から融雪期や台風などでしばしば氾濫をくり返した。安政5年(1858)の地震では流域の村落百余ヵ村が泥流に襲われたという。明治に入っても災害は続き、8年8月に続き10年4月10日支流今川堤が4キロにわたって決潰、ついで6月8日に日俣前堤防が決潰した。

45　越中国新川郡黒部川出島堤防ノ景　出島は現黒部市の北部、黒部川の左岸に位置し、農耕地帯であったが、黒部川がしばしば氾濫をくり返す被害地であった。越中川倉と呼ばれる三角形の組立枠に大石を入れて固定し、前に竹や鉄線の蛇籠を布設して危険個処の堤防を守るという工法が採られたが、増水によって破壊されやすく、復旧は容易でなかった。

46　越中国砺波郡庄金剛寺村弁才天青島村堤上ヨリ眺望ノ景　庄金剛寺村は、現東砺波郡庄川町庄。庄川扇頂部の右岸に位置し、青島村はその対岸にあり、現庄川町青島に該当する。天正13年(1585)11月の庄川の氾濫の際、この辺りの河中から巨岩が露出して激流の勢いをそぎ、被害を少なくしたので、住民はこの岩上に弁才天を祭祀してその加護に報謝したという。写真中央の岩石がそれである。

47　越中国砺波郡青島村領字弁才天前堤防同所下モ堤上ヨリ眺望ノ景　加賀藩は寛文10年(1670)庄川の改修工事を起こし、庄川扇頂部の弁才天前付近の左岸に長さ２キロに及ぶ二条の雁行する大堤防(一番堤・二番堤)の築造、川除《かわよけ》普請に着手、正徳４年(1714)に至り竣功した。写真は明治初期の一番堤の状景であろう。なお、明治14年(1881)この付近の堤上に松苗が植栽された。

48　越中国砺波郡新屋村籠渡シ同所乗場ヨリ眺望ノ景　現東砺波郡上平村新《あたらし》屋《や》。庄川右岸の新屋と左岸の西赤尾(現上平村)を連絡する籠渡しの乗場の状景。籠渡しは深山幽谷の両岸に藤蔓などの太い綱を張り渡し、これに人物や品物を入れた籠を吊り、これを別の綱で引き寄せて渡す仕組みであるが、この写真にはその仕組みとこれをあやつる作業員の姿が写しとめられている。

49　越中国砺波郡細島村籠渡シ場ヨリ眺望ノ景　現東砺波郡上平村細島。五箇山の籠渡しは宝暦年間(1751-64)には13ヵ所あったことが伝えられるが、この渡しはその一つで、庄川右岸の細島と対岸の葎島《むくらじま》(現上平村葎島)を結ぶもの。籠綱の全長39間、そのうち両詰の巻留間数10間、綱の製作や架設に使役された人員は48名であったことが記録されている。

50　越中国砺波郡下梨村鎖橋同所川上島地内ヨリ眺望ノ景 是ハ土人一人シテ籠渡ノ景　原題は、おそらく誤伝・誤写などによると思われ、写真は図48と同じく、新屋村籠渡しの情景を伝えるもの。

51　越中国砺波郡下梨村鎖橋島村地内ヨリ眺望ノ景　下梨村は現東砺波郡平村下梨。鎖橋は、明治８年(1875)に下梨村長水上善三郎が自費をもって図52の籠渡しに代えて架設した鋼鉄索の吊橋で、長さ45間余、建設費3,500円(当時の米価は１石７円内外といわれた)。この架設は五箇山交通の近代化を促した画期的なことで、以後籠渡しは次々に鎖橋に代えられ、その姿を消した。

52　越中国砺波郡下梨村鎖橋同所川上ヨリ眺望ノ景

53　越中国砺波郡下梨村鎖橋同所川上島地内ヨリ眺望ノ景

石川県

1　**石川県第一師範学校**　現金沢大学教育学部。石川県の師範教育は明治７年(1874)８月に設置された石川県集成学校に始まる。同年11月に石川県師範学校と改称されるが、10年２月には金沢市広坂通りに校舎を新築移転、富山などの支校を廃し新たに富山・福井に師範学校を設置し、金沢を第一、富山を第二、福井を第三師範学校(福井県図１)と称した。その後、14年には福井県が、16年には富山県が新置されたため師範学校も各県の管轄となり、石川県は女子師範学校を併合し石川県師範学校と改めた。11年10月３日には北陸東海両道巡幸中の天皇が臨幸しているので、写真はその頃のものであろう。

2　**石川県第一女子師範学校**　石川県の女子師範教育は集成学校設立の翌年、明治９年(1876)に同校内を区画し、男子と同様の学科を修めさせたことに始まる。同年５月には公立松原町女児小学校内に石川県女子師範学校として独立しだが、９月には石川県師範学校に併合された。以後おおよそ師範学校と同様の経緯をたどる。

3　石川県中学師範学校　中学師範学校は、中学校教員の養成施設で、中学校の啓明学校を改組して、明治10年(1877) 7 月に石川県中学師範学校とした。14年には石川県専門学校と再び改組されるが、20年に文部省が金沢に設置した第四高等中学校に敷地・校舎等を譲渡し21年 3 月を以て廃校となった。なお11年10月 4 日に天皇が臨幸した。

4　石川県金沢医学所　現金沢大学医学部。文久 2 年(1862)に設置された加賀藩の種痘所を始まりとする。明治 3 年(1870)に大手町の旧藩士津田氏邸に金沢医学館・病院が開設された。医学館は、10年に石川県金沢医学所と改称され、また12年には石川県金沢医学校に改組された。この間11年10月 3 日には天皇が臨幸した。

5　**能登国鹿島郡従鵜浦村字鹿渡島望野崎村**　鵜浦は現在の七尾市鵜浦町で、小口瀬戸を挟み七尾湾に浮かぶ能登島東端の野崎村(現能登島町野崎)の対岸に位置する。

6　**能登国鹿島郡従田尻村口浜望別所嶽登外横見浦**　田尻村は能登島北側に位置する現能登島町田尻。別所嶽は能登半島中ほどの鹿島郡と鳳至郡のほぼ境にある標高358メートルの山。外《そで》と横見浦は七尾西湾に面する、現中島町外・同横見。漁師と思われる一家が写されており、子供は大きな樽に寄り掛かっているが、何かの貯蔵用であろう。

7　**能登国鹿島郡従小丸山望阿杉崎**

8　能登国鹿島郡従小丸山望七尾街　現七尾市小丸山公園周辺。七尾市は古くから能登の中心地として発展した都市で、維新後は明治4年(1871)に七尾県が、翌年には石川県が成立しその管轄に入った。7年には県支庁が小丸山に置かれている。小丸山は七尾市南側の高台で、天正9年(1581)に前田利家が築いた城があり、元和元年(1615)の一国一城令により廃棄されるまで、金沢城の支城として存続した。現在の市はその城下町。板葺きの屋根が軒を接し、その背後には七尾南湾が見える。

9　能登国鹿島郡従袖浦望妙観院御船山　現七尾市小島町。町の南側丘陵に「山の寺」と呼ばれる地域があり、16の寺院が存在している。写真はその中の妙観院の楼門で、つくりが中国風で人目を引く。この寺の梵鐘は寺を抜け出し海中に没したという沈鐘伝説を伝える。御船山という地名については明らかでない。

10　能登国鹿島郡従和倉村望温泉場并弁天島　現七尾市和倉町。和倉村は七尾西湾の東端沿岸にあり、古くは「湧浦」と記された。字義のとおり海中に湧出する温泉があり、16世紀から文献に見られる。現在弁天島は存在せず、温泉街に弁天崎公園がある。『石川県鹿島郡誌』は弁天島について、奇岩怪石よりなる島で弁天の祠があり、和倉の名勝の一つであったが、埋立により島の体を成さないと記し、また和倉温泉については、明治12年(1879)に村民による大規模な埋立が行われ、浴舎などを建てたとある。

11 （福浦港） 現羽咋《はくい》郡《ぐん》富来《とぎ》町《まち》福浦《ふくら》港。写真右端に図12の旧福浦燈台が見えるので、能登半島西岸に位置する福浦港と推測できる。古代から福良津・福良泊と呼ばれ、時に渤海国使節の上陸、あるいは帰国時の出発地としての役割を果たした港で、周辺には造船施設や客院が造られた。また、近世では北前船の風待港として賑った。

12 （福浦灯台） 現羽咋郡富来町福浦旧福浦灯台。慶長年間(1596—1615)に日野長兵衛がこの土地で篝火を焚いたことを始まりとするという。以後代々継続して点灯してきたが、明治9年(1876)に日野吉三郎が写真の西洋式木造灯台を造った。11年北陸巡幸中の天皇は丸岡行在所にて吉三郎を引見し賞を賜った。現在我が国最古の洋式灯台として県の史跡に指定されて保存されている。

13 （無題）

福井県

1　石川県第三師範学校　現福井大学。福井県の師範教育は、明治初期の行政域である敦賀県時代の6年(1873)に福井私立中学校内に師範学科を置いたことを始まりとする。その後曲折を経て9年に敦賀県は石川県と滋賀県に分割され、福井市は石川県の管轄のもとに新たに師範学校が置かれ、石川県第三師範学校と称された(石川県図１)。しかし14年2月には福井県が新置されたため福井県福井小学師範学校と改められ、以後幾度かの改名改組を経て昭和24年(1949)に福井大学の母体として新しく出発した。

2　石川県第三女子師範学校　石川県第三師範学校と同じ時に設置されたが、明治14年(1881) 2月の福井県の新置後、同9月に廃止された。

3　石川県福井ノ医学所　医学所は福井藩の仮医学所済世館に始まる。明治8年(1875)敦賀県により公立の医学所として整備されたが、翌年敦賀県が石川県に併合されると、石川県福井医学所となる。14年の福井県新置に際して福井県公立医学所となるが、21年に廃止となる。看板には「石川県福井医学所」とある。

4　越前福井藤島神社　現福井市毛矢三丁目。旧別格官幣社。主神新田義貞。明治９年(1876)義貞戦死の地吉田郡灯明寺畷に存した祠に社号を賜い、12月15日に鎮座祭が執行された。その後同郡西藤島村字牧野島に社地を下賜され、改めて社殿を創建した。しかし、同地がしばしば水難に遇うため34年に現在地に遷座。遷座にあたっては500円が下賜されている。なお、義貞のほか、新田義宗・義顕・義興らを配祀している。

山梨県

1　**甲府旧城之全景**　甲府市。本能寺の変後、甲斐国を領した徳川家康は、もと一条道場(一蓮寺)のあった小山に築城を開始し、天正18年(1590)家康の関東入部の後、羽柴秀勝、加藤光泰を経て甲府に入った浅野長政がほぼ甲府城を完成させた。慶長5(1600)年関ヶ原の戦ののち、徳川氏が再び甲斐国を領すると、城代平岩親吉の手で甲府城は修理され完成をみた。その後柳沢吉保、吉里が城主となり、城池などが整備されたが、柳沢家の大和郡山移封の後は幕府直轄地となり、甲府勤番がおかれ、甲府城は甲府勤番の城となった。

2　**甲府旧城之景**　図１の右側の柵際より撮影したものと思われ、中央あたりの白木の橋と門と、それに続く石垣を撮影している。左の門柱に「勧業試験所」の札がかかり、石垣の向う側に図４・５の勧業試験所がわずかにみえる。

3　**甲府旧城内之景**

4　甲府旧城内葡萄酒製造所之景　明治10年(1877)甲府城内の勧業試験所に葡萄醸造室が設けられた。

5　甲府旧城内ヨリ同府市街之遠景　図中の手前建物は、図 4 の勧業試験所であろう。

6　（甲府城内ヵ）

7　甲府猿橋之景　現大月市。猿橋は高さ32メートルの木造刎橋で、橋の構造美が渓谷の美観と調和して奇観を呈しており、日本三奇橋として知られている。歌川広重や葛飾北斎らにも描かれ、国の名勝にも指定されている。

長野県

1　松本裁判所　松本裁判所は明治９年(1876)に設置され、11年６月、松本城二の丸御殿跡に庁舎が完成した。13年６月25日には、明治天皇が臨幸している。写真の門標には「松本裁判所」「松本区裁判所」とあり、15年にはそれぞれ始審裁判所・治安裁判所と改められているので、それ以前の写真であることが確認できる。その後、明治41年には全面的に改築された。改築後の建物は昭和57年(1982)、松本市島立に移築され、現在日本司法博物館として保存・公開されている。

2　長野町師範学校之図　写真の長野町師範学校校舎は明治8年(1875)11月に落成したもので、この当時の建物のうち教師館のみが現存し、飯綱高原に移築されて県宝に指定されている。明治9年、南信の筑摩県との合併に際し、両県の師範学校も統合され、長野を本校、松本を支校とした。明治11年9月9日、明治天皇は長野県庁に臨幸の後、県設の勧業場、勧業工場、師範学校、松本裁判所長野支庁などを巡覧した。明治16年に長野の本校を松本に移転して、一県師範学校一校制が実現したが、19年の師範学校令施行しに際して、再び長野に移転し、長野県尋常師範学校と改称され、その後に至っている。

3　長野町師範学校及勧工場之図

4　長野警察署之図　長野警察署の成立は明治10年(1877) 2 月で、当初庁舎はその前身である長野警察出張所のあった西町西方寺の仏堂の一部をそのまま使用していたが、同年10月、長野町五番地字元善町に庁舎を新築し移転した。

5　上田行在所ノ図　明治11年(1878)天皇の北陸東海両道巡幸が発表され、上田町宿泊の決定が伝えられたが、旧本陣はすでに焼失し、他に行在所に適当な居館は見当たらなかった。たまたま当時上田では小学校校舎建築が急務とされており、行在所に充てるために急遽校舎新築を決定、木造三階建ての西洋風の校舎を建て、9 月 7 日の行幸に間に合わせた。

6　真田城之図　上田市に残る上田城。真田昌幸が関ヶ原の戦で徳川秀忠の軍を迎え、これを退けたことで有名である。江戸時代は仙石氏、ついで松平氏の居城となり、維新を迎えた。写真は本丸東側の櫓門を写したものと思われ、左手奥の櫓は現存する西櫓。明治7年(1874)から取り壊しがはじまり、取り壊された櫓も写っていることから、撮影は明治8、9年頃と推定される。

7　信濃国長野町ノ図　中央道路の先には善光寺仁王門が見られ、撮影位置の高さから考えて善光寺山門楼上から南方の寺内町の情景を写したものと思われる。

8　長野町大勧進之図　大勧進は善光寺山門の西脇にある天台宗寺院で、近世以来大本願とともに善光寺の寺務職を勤め、大勧進別当は事実上善光寺の別当として善光寺を管理してきた。明治11年(1878)の明治天皇北陸東海両道巡幸の際には、長野行在所となった。図7と同様善光寺山門楼上より撮影したもの。

9　水内橋ノ図 一名久米路橋　久米路橋(水内橋)は信州新町にあり、犀川に架かる橋としてはもっとも歴史が古い。推古年間に架けられたという伝承も伝わるが、慶長年間(1596—1615)の勧進帳では、鎌倉時代末期、当地の土豪香坂覚法入道がはじめて架けたとされる。「久米路橋」の名は『拾遺集』の古歌によったもので、かつては水内橋ともいい、また橋の構造から曲《まがり》橋あるいは撞木《しゅもく》橋ともいった。嘉永2年(1849)の架橋では曲橋を刺橋に改め、明治24年(1891)には二重刺橋、35年桙橋、41年吊橋、昭和8年(1933)迫持式鉄筋コンクリート橋としばしばその姿を変えている。昭和17年、下流に水内ダムが出来たため、写真にみられる橋下の奇岩は姿を消した。

10　信濃国水内更級両郡橋ノ図　両郡橋も犀川にかかる架橋で、現在長野市に属する。明治11年(1877)、当時の塩生村・小松原村間に架けられた。本図と図11は構造が異なっており、久米路橋同様、架け替えのたびにその構造を変えたことが窺われる。

11　信濃国犀川ニ架スル水内更級両郡橋之図

12　信濃国信夫龍ノ両村ニ渉ル天竜川架橋之図　飯田市天竜峡に架かる姑射《こや》橋を写した写真と推測される。天竜峡の名称は弘化4年(1847)にこの地に遊んだ阪谷朗廬が命名し、『遊竜峡記』によってその名が広まった。また、明治15年(1882)には日下部鳴鶴が訪れ、姑射橋などを天竜峡十勝として選んだ。

13　八幡村武分神社之図　更埴市八幡にある武水別《たけみずわけ》神社の写真である。武水別神社の名は延喜式にみられるが、現在の武水別神社は、当地が石清水八幡宮の荘園であった関係から、当地の神社に八幡社を勧請したもので、当地方随一の八幡社として上杉謙信をはじめとする多くの武将の尊崇を受けてきた。天保年間(1831—44)に八幡社の別称として武水別神社の社号に改めた。写真の本殿は嘉永3年(1850)に建てられたもの。他に室町時代後期の高良社が県重要文化財に指定されている。

14　姥捨山観月堂之図　観月の名勝として有名な姥捨山長楽寺の遠景。更埴市にある。中央の巨岩を姥石といい、その右に倚りかかるように建つのが観音堂で、満月殿ともいう。その右は庫裏で月見堂と称する。欄が設けてあるのが見えるが、これは客の観月の便のためという。この当時より宗祇・芭蕉などの句碑があった。

15　戸隠神社之図　戸隠神社は奥社・中社・宝光社からなる。平安時代にすでに修験道の霊場としてその名が聞こえ、中世後期以降はすべて天台宗に属したが、神仏分離令によって寺院は切り離され徹底的な廃仏毀釈の対象となった。写真は宝光社で、天表春命《あめのうわばるのみこと》を祭神とする。文久元年(1861)年に建てられたもので、三社のうち明治以前の建物としては唯一現存する。

16　戸隠神社奥社之図　奥社は天手力雄命《あまのてたちからおのみこと》を祭神とする。三社のうちで最も起源が古く、縁起によれば奥社が祀られたのは嘉祥3年(850)で、その後康平元年(1058)に宝光社が、寛治元年(1087)には中社が、それぞれ奥社より分祀された。現在、写真の社殿は現存せず、鉄筋コンクリート造りの社殿が再建されている。

17　戸隠神社奥社之図

18　聖山社之真景　大岡・麻績《おみ》両村にまたがる聖山《ひじりやま》は、その名が示すように古くから山岳信仰の霊場として栄えた。写真は山麓にある樋知《ひじり》神社と推定されるが、もとは同山麓の高峰寺と一体で起源が古く、紀州熊野権現を聖山に勧請したものとされる。

19　長野県北安曇郡会染村七貴村へ浸入セシ暴水　槍ヶ岳を水源としている高瀬川は、大町より北安曇郡の平地を南に流れ犀川に合流する。その名の通り川底が浅く急流のため、しばしば氾濫して流域に被害を与えた。一連の写真(図19—28)は明治22年(1889)６月会染村・七貴《ななき》村を襲った洪水の模様を写したもので、それぞれ台紙の余白に詳細な説明文が付されている。本図は会染村(現池田町)の堤防決潰箇所の締切工事で、聖牛《せいぎゅう》を一列に並べた様子が写されている。聖牛は武田信玄の考案とされ、木材を三角錐状に組み蛇籠で固定したもの。水流を弱めるとともに、上流側に土砂を堆積させ堤防とした。説明文の最後に工事の規模が記され、工費は503円であったという。

20　長野県北安曇郡会染村権現宮下メ切現場　締切工事現場を対岸より撮影したもので、この写真の段階では工事がまだ完了していないことがわかる。説明文によれば、堤防決潰の３日後の６月28日より工事を開始していったんは防いだものの、その後三回の出水があり、写真のように再び決潰したという。

21　長野県北安曇郡会染村内鎌耕地被害ノ実況　決潰地より浸入した暴水は、内鎌耕地の北端で東西に分流して被害をもたらした。会染村の田畑の被害は、内鎌耕地を中心に流失・浸水170町という。写真は内鎌耕地の東方から西を撮影したもので、正面が北アルプス。その手前の細い二筋の白線は高瀬川で、その手前に浸水した地域が確認できる。一番手前の白線は街道。

22　長野県北安曇郡会染村内鎌耕地内田中永吉宅流亡ノ跡　会染村の民家の被害は浸水戸数129という。また『北安曇郡誌』の年表には「会染村三戸流失」と記される。

23　長野県北安曇郡会染村四二〇番地
那須角吉宅被害図

24　長野県北安曇郡会染村内鎌耕地
東部ノ景況

25　長野県北安曇郡会染村四四八番地
生田常一所有ノ倉庫ノ被害

26　長野県北安曇郡会染村四四〇番地
那須孫太郎居宅被害

27　長野県北安曇郡七貴村小林惣太郎居宅流亡ノ跡　洪水は会染村の南に接する七貴村にも被害を及ぼした。七貴村は現在の池田町・明科町にまたがっていた。

28　長野県北安曇郡七貴村
宮沢代蔵居宅水害ノ景況

29　信濃国米子瀑布之図　須坂市の米子川上流にある滝。四阿山のカルデラを水源とし、カルデラ内の水が北壁の爆裂火口から二筋に並んで落下する滝をあわせて米子瀑布と称する。上流に向って右が不動滝、左が権現滝で、日本の滝100選にも選ばれている。滝下側に不動堂があり、修験道の霊場としても名高い。写真は不動滝。

30　米子瀑布之図 其二　米子瀑布のうち権現滝の写真。

31　北震瀑布之図　黒姫山と妙高山の間、新潟県との県境の関川にかかる滝で、地震滝、地《な》震《い》の滝、苗名滝などの名称で呼ばれる。地震滝の名は、落下する水の音が轟々と周囲を振動させるためで、貝原益軒が名付けたとも伝えられる。日本の滝100選のひとつ。

岐阜県

1　濃州土岐郡山田村ヨリ和合橋之景　和合橋は下街道と呼ばれる中山道の脇街道にあり、瑞浪村と明世村(いずれも現在瑞浪市)の間に流れる土岐川(木曾川の支流)に架かる。初めて和合橋が架けられたのは明治3年(1870)で、「断岸数丈の上にありて風光頗る奇なり」(『岐阜県案内』)と賞された。

岐阜県下震災写真　明治24年(1891)10月28日、岐阜県本巣郡根尾谷付近を震源として起った濃尾大地震の一連の写真。マグニチュード8.0と推定。岐阜県下の被害は明治26年の県の調査によると、家屋全壊50,001、半壊33,459、焼失4,455(いずれも公共建築は除く)、死者4,984、負傷者13,762となっている。濃尾地震に関する写真は多く残されており、以下紹介する写真は、郷土関係の出版物に掲載されたものと同じ写真も少なくない。例えば岐阜県歴史資料館編『館蔵古写真集』第2集に掲載された濃尾地震関係記録写真には、瀬古家(瀬古写真館)より寄託のもの、松原幸雄家所蔵写真などいくつかの系統があるが、このうち松原家所蔵の写真と同じものが何枚か確認された。当時の当主松原芳太郎は岐阜県会議員で、同書では「(写真は)復旧にむけ中央への陳情などに活用するためのもの」と推測している。

2　岐阜県下震災写真 二十一号美江寺
現在巣南町に属する美江寺村では、死傷者403(総人口796)、家屋全壊208(総戸数209)、半壊1で、家屋については全戸が被害を受けた。

3　岐阜県下震災写真　『目で見る岐阜市の百年』41頁に同じ写真が掲載されている。この写真も含めて人物が集合してカメラに向かってポーズをとっているものが多い。撮影に際しては、単なる震災状況の記録という意味だけでなく、生存者の記念撮影的な性格があったのかもしれない。

4　岐阜県下震災写真 □□墨俣駅(中町本町)震災後実況　墨俣は美濃路の陸上交通と長良川の水運の接点として発展した宿場であった。墨俣村の被害は死傷者165(総人口1,508)、家屋全壊355(総戸数376)、半壊21で、全ての家屋が被害を受けた。

5　岐阜県下震災写真　墨俣西町(現墨俣町)八幡神社境内に設置された仮設治療所。『墨俣町史』によれば、治療に当たったのは京都府療病院長猪子止戈之助以下、京都府の医師・医学校生徒、岐阜県の医師で、合計616人が治療を受けた。写真右側には、大八車に載せられた患者が写されており、その左手前には患者搬送用の籠が置かれている。『墨俣町史』『館蔵古写真集』に同写真を掲載している。

6　岐阜県下震災写真　キャプション全体の判読は困難であるが、「墨俣」の文字は確認できる。写真右側の建物は後方半分が完全に倒壊しており、残った部分は周囲を木材でかろうじて支えられている。解体準備として屋根瓦の取り外し作業を行っているのであろう。『館蔵古写真集』および『写真で見る明日のすのまた』に同写真が掲載されている。

7　岐阜県下震災写真　住宅倒壊現場での集合写真。救助あるいは撤去作業を中断して撮影したのであろう。同じ写真が『墨俣町史』『写真で見る明日のすのまた』には墨俣町の写真として紹介されているが、『館蔵古写真集』では「竹ヶ鼻町」(現羽島市竹鼻町)とされている。後方には図6の半壊家屋に似た建物が写っているが、同じ建物かどうか断定は困難。一般に記録写真は、撮影時の正確なキャプションが残されないと日時や場所が特定しにくくこのような混乱がおきるが、特に災害記録写真は、その後復旧されて状景が異なることが通例で、後になっての確認が困難となる。

8　岐阜県下震災写真 大垣輪中大島村堤防震災破壊之図　大島村は大垣輪中の東部、揖斐川右岸にあり、当時は合併して安八郡和合村に属していた。和合村では家屋全壊283(総戸数314)、半壊31で全戸にわたり被害が出ている。

9　岐阜県下震災写真 揖斐川上流新屋敷村堤防震災破壊之図　新屋敷村は揖斐川右岸の自然堤防上に位置し、当時は合併により神戸《ごうど》村(現神戸町)の一部となっていた。神戸村の被害は家屋全壊346(総戸数685)、半壊339と全戸にわたり、死者20(人口2,977)、重傷10となっている。

10　岐阜県下震災写真 揖斐川上流新屋敷村堤防震災破壊之図　『館蔵古写真集』にも同じ写真が収録されている。

明治29年水害写真　濃尾平野の西南部は土地が低く、かつては木曾川・長良川・揖斐川の川筋が錯綜し、当時オランダ人技師デ=レーケによる三川分流工事が進められており、その成果があらわれるまでは、大水害に見舞われることがしばしばであった。とりわけ明治29年(1896)は、7月下旬に集中豪雨、8月下旬に台風、9月上旬には再び集中豪雨と三たびの大風水害に襲われた。写真は大垣輪中(現大垣市)を中心とした水害写真。写真に付された番号から、異なる2種類のセットが存在することがわかり、7月または9月の水害写真のものと推定されるが、いずれかは確定できない。明治天皇は、7月の水害では岐阜県に対し3,000円、8・9月の風水害では1万円を下賜するとともに、侍従東園基愛を差遣した。東園侍従の来県に際し、県会議員金森吉次郎が「水害地写真四十五種を呈し、畏き辺の御覧に供へられたり」(大垣市史)と伝えられているが、以下の写真がそれに相当するのかは不明。

11　第一号 安八郡新屋敷村堤塘破壊所澪留ノ景　「澪」とは、堤防が決壊してできた濁流の浸入する水路を指し、「澪留」とはそれを堰止めて濁流の浸入を防ぐ作業である。

12　第二号 安八郡落合村
堤塘破壊所澪留ノ景

13　第五号 安八郡北方村地内
家屋漂流ノ景 其一

14　第六号 安八郡北方村地内
家屋漂流ノ景 其二

15　第七号 安八郡林本郷村鉄道線路踏切以南ノ景

16　第八号 安八郡南頬村家屋破壊ノ景

17　第九号 大垣停車場前ノ景

18　第一号 安八郡瀬古村曾根村破堤澪先潰家ノ景

19　第二号 安八郡曾根村川本幸平等ノ親族数人ト共ニ漂流セシ家屋ノ現景

20　第三号 安八郡中川村地内家屋漂流ノ景

21　第四号 天守閣ヨリ大垣以南ヲ望ム景　大垣輪中は7月、9月の水害で、堤防の決壊により一面が濁流に呑み込まれた。7月は輪中南部で床上9尺～1丈3、4尺に達するところもあった。9月はさらに水位が高く、最高水位は11日午前8時大垣城天主台の石垣にまで達し、浅いところでも8尺前後になり、市街のうちで比較的高い本町・中町などでも2階の上まで浸水、屋根まで沈んだ家も少なくなかった。

22　第五号 大垣停車場前ノ景　貨車が、駅舎と思われる建物の後方で立ち往生している様子がうかがわれる。

23　第六号 大垣新地町潰家ノ景

24　第七号 大垣市街接続寺内村潰家ノ景

25　第八号 安八郡釜笛村民家浸水ノ景　民家の軒まで濁流に没し、住民が船にて避難する様子が写されている。この年安八郡の風水害による死者は７月の水害では６名、９月は58名と、被害が甚大なわりには少なかった。これは、多数の人間が安全な場所に避難できるだけの数の船が、常時より備えられていたからといわれる。

26　第九号 安八郡横曾根村ヨリ以北村落ヲ望ム景　横曾根村は大垣輪中の南端の最低地にあたり、７月、９月の大水害ではいずれも輪中内の浸水を排水するために乙澪切り(堤防の切開工事)が行われた。

27　第十号 安八郡横曾根村堤塘窮民小屋掛ノ景 其一

28　第十一号 安八郡横曾根村堤塘窮民小屋掛ノ景 其二

29　第十二号 安八郡今福村乙濠ノ景　7月の洪水では、今福村の堤防が決壊し、濁流が大垣輪中に流れ込んだ。写真からは輪中の外側(写真左側)と内側では、さほど水位が異ならず、すでに輪中内に相当の濁流が流れ込んでいること、濠留作業に取りかかっているものの、なお激しい勢いで水が流入している様子が確認できる。

静岡県

1　**伊豆反射炉**　現田方郡韮山町。高島流砲術を学んだ伊豆代官江川英龍(坦庵、1801—55)は、ペリーの来航に刺激されて海防の必要を痛感した。大砲・鉄砲の鋳造を目指した英龍は幕府の許可を得て安政元年(1854) 6 月、反射炉の建造を開始した。翌年英龍は死去したが、子の英敏により安政 4 年になって反射炉は完成し、以後元治元年(1864)まで品川台場や各藩の依頼になる多数の大砲を鋳造した。この写真の脇には「此旧址ヲ存セリ遇テ之ヲ視ル者当時英龍カ世ヲ憂ヒ国ヲ愛スルノ忠勇義烈ヲ想起シテ懐旧ノ情禁スル克ハスト云」と記され、この当時、英龍が人々からいかに顕彰されていたかがわかる。

2　勧農局出張熱海工場之図　勧農局は明治３年(1870)民部省内に設けられたのを嚆矢とし、その後、幾度かの変遷を経て、明治10年内務省の所管部局となった。勧農局は、勧商局・工部省などとともに明治14年に農商務省が設置されるまで殖産興業政策の中心的役割を担い、その管下に富岡製糸場など各種の模範工場・試験場を全国に設けた。写真の工場もその一環として熱海に置かれたものである。

3　熱海飲料用水仮掛樋ノ図　熱海における水道事業は明治16年(1883)、実業家田中平八が私財を投じて来宮神社横に設けた貯水池に西山奥から水を引いたことに始まる。それまで一般に使用されていた浄水は和田川・初川・糸川から引いた表流水であった。また飲料水用の井戸が少なかった温泉湧出地区では水口から水を引いていた。そのため飲料水は慢性的に不足しがちであった。

4　熱海飲料水仮樋出口之図

5　（加嶋学校）　現富士市富士第一小学校。地域住民の献身的な奉仕もあって明治10年(1877)10月に竣工、創立された。本図は開校当時の校舎を写したもの。開校当時、この校舎には15の教室があり、児童341名(男224、女117)が在校し、10名の教員がいたという。

6　静岡御料局支庁管下御料地　明治22年(1889) 8 月31日、それまで御料局木曾支庁の管区であった静岡市に御料局静岡支庁が新設された。同支庁は、静岡・神奈川・長野・山梨 4 県に合計11の出張所を設けて御料財産を管理した。図 6 ・ 7 はいずれも芦ノ湖畔の写真で、丘上に見える洋館は、宮内卿伊藤博文の建議により明治19年竣工した箱根塔ヶ島離宮である。同23年函根離宮と改称されたが、関東大震災で大破し、一部を残して取り壊され、昭和20年(1945)皇室財産から除外されて神奈川県に下賜された。

7　静岡御料局支庁管下御料地 其二

天城山伐木十四枚続　現田方郡中伊豆町。天城山一帯は降水量の多い地域であるため森林の生育が良く、そのため古くから林業が盛んであり、江戸時代には幕府の御料林として保護された。松・杉・檜・樅・樛・欅・桜は天城七木とされ、なかでも杉の美林は有名である。明治23年(1890)11月27日に天城御料地は世伝御料となり、ついで明治35年３月７日には御猟場にも指定された。写真には斧や鋸を持った樵(図11)、木上で枝切りを行う人々(図13)、伐木の運搬(図14・15)と集積など、一連の作業の模様を見て取ることができる。ここでは、14枚の内９枚を紹介する。

8　天城山伐木十四枚続

9　天城山伐木十四枚続

10　天城山伐木十四枚続

11　天城山伐木十四枚続

12　天城山伐木十四枚続

13　天城山伐木十四枚続

14　天城山伐木十四枚続

15　天城山伐木十四枚続

16　天城山伐木十四枚続

17　静岡県下遠江国笠井町風災被害ノ真景　現浜松市。いつ頃の写真かは判然としないが、静岡県は明治25年(1892)9月以降、同30年9月、同31年9月、同32年10月、同33年10月、同43年8月、同44年7・8月と頻繁に暴風雨に見舞われて大きな損害を被った。皇室からはそのたびごとに勅使の差遣や救恤金の下賜がなされている。

18　静岡県下遠江国笠井町風災被害ノ真景

19　静岡県下遠江国笠井町風災被害ノ真景

20　静岡県下遠江国笠井町風災被害ノ真景

愛知県

1　愛知県下震災地各村写真　図２とともに、明治24年(1891)10月28日に岐阜県本巣郡根尾村を震源として発生した、いわゆる濃尾大地震の被害状況の写真である。それぞれ写真の注記に「愛知県北設楽郡三輪村」(図１)、「愛知県北設楽郡振草村」(図２)とあり、両村の山林の被害状況を撮影したものと思われる。この地震による愛知県の被害は、全壊62,095戸、焼失212戸、死者2,347名にのぼった。天皇・皇后よりは愛知県に対して御救恤金13,000円が下賜された。なお、「ル・モンド・イリュストレ」紙の報道画家ビゴーGeorge F. Bigot(1860—1927)は、福島県磐梯山の大噴火の時と同様に、この地震に際しても現地に取材に赴いて被害の惨状を写真とスケッチで記録し、それをもとに「濃尾大地震」をはじめとする多くの銅版画・石版画を制作している。

2　愛知県下震災地各村写真　注記にある振草村は、その後の町村合併により今の設楽町と東栄町の一部となっている。

3　震災後名古屋郵便電信局及名古屋電信建築署員事務取扱状況写真　名古屋郵便電信局電信課栄町巡査駐在所及其裏手小屋掛ケニ於テ執務ノ内部　濃尾大地震により住吉町の名古屋郵便電信局・名古屋電信建設署が全壊したため、栄町巡査派出所・聖徳寺・朝日神社(いずれも現中区錦)などに仮設庁舎を設けて各業務を行なった。ちなみに聖徳寺は天文18年(1549)織田信長が斎藤道三と初めて対面した寺院で、もと美濃国羽島郡大浦(現岐阜県羽島市)にあったが、寛永15年(1638)にこの地に移転した。図3～14の写真は電信機など、その執務の様子をよく伝えている。

4　震災後名古屋郵便電信局及名古屋電信建築署員事務取扱状況写真　名古屋郵便電信局電信課栄町巡査駐在所ニ於テ執務ノ内部

5　震災後名古屋郵便電信局及名古屋電信建築署員事務取扱状況写真　名古屋郵便電信局電信課栄町巡査駐在所及其裏手小屋掛ケニ於テ執務ノ外部　図中に、「午前八時ー午後四時マデ　毎日開館　但第一、第三日曜ハ休　愛知県博物館」という看板がみえることからすると、栄町の郵便電信局電信課の仮設庁舎の隣には博物館があったと思われる。

6　震災後名古屋郵便電信局及名古屋電信建築署員事務取扱状況写真　名古屋郵便電信局崩壊ノ煉瓦石材ノ為メ破却セラレタル住吉町家屋ノ状

7　震災後名古屋郵便電信局及名古屋電信建築署員事務取扱状況写真　名古屋郵便電信局出納課聖徳寺本堂ニ於テ執務ノ外部

8　震災後名古屋郵便電信局及名古屋電信建築署員事務取扱状況写真　名古屋郵便電信局出納課聖徳寺本堂ニ於テ執務ノ内部

9　震災後名古屋郵便電信局及名古屋電信建築署員事務取扱状況写真　名古屋郵便電信局郵便課逓送集配掛并ニ出納課為替貯金掛聖徳寺園中小屋掛ケニ於テ執務ノ外部

10　震災後名古屋郵便電信局及名古屋電信建築署員事務取扱状況写真　名古屋郵便電信局郵便課本務掛朝日神社境内ニ於テ執務ノ内部

11　震災後名古屋郵便電信局及名古屋電信建築署員事務取扱状況写真　名古屋郵便電信局郵便課本務掛朝日神社境内小屋掛ケ中ニ於テ執務ノ内部

12　震災後名古屋郵便電信局及名古屋電信建築署員事務取扱状況写真　名古屋郵便電信局郵便課本務掛朝日神社境内小屋掛ケニ於テ執務ノ外部

13　震災後名古屋郵便電信局及名古屋電信建築署員事務取扱状況写真　名古屋郵便電信局郵便課本務掛朝日神社境内ニ於テ執務ノ外部

14　震災後名古屋郵便電信局及名古屋電信建築署員事務取扱状況写真　名古屋電信建設署栄町通側空地小屋掛ケニ於テ執務ノ外部

15　岐阜県下震災写真　岐阜県下の写真とされるが、図中に「二号ナコヤヒロコージ」とみえることから、現在の名古屋市錦・栄付近の被害状況を撮影したものであろう。

16　岐阜県下震災写真 神戸駅宮町震災実況　図15と同様に岐阜県下の写真とされるが、図中に「神戸駅宮町震災実況」とあり、現名古屋市熱田区神戸《ごうど》町付近の被害状況の写真であろう。熱田神宮の門前であるため宮町と呼ばれ、東海道五十三次の第41宿として栄えた宿場町である。なお、岐阜県安八郡神戸町にも宮町の地名が残るが、ここでは愛知県の写真として採用した。

三重県

1　勢州朝明郡朝明村松原及農家ノ景　現在の四日市市松原付近。このあたりは明治初年より養蚕が盛んとなったが、同時に伊勢米の生産、茶の栽培も有名であった。図は、八風街道沿いと思われ、茶店風の建物と松並木がみえる。右手には水田がひろがる。

2　勢州朝明郡朝明村路傍人家ノ景　図1と同様に街道沿いの様子であろうか。店の中には、細かな商品を仕分けた台とその上に吊した草鞋などがみえる。

3　**別格官幣社 結城神社**　津市。南朝の忠臣結城宗広を主神として、結城一族の殉難武将を祀る。宗広は陸奥白河の城主で、元弘３年(1333)、大塔宮の令旨を奉じ新田義貞等と協力、鎌倉幕府を滅ぼした。そののち南北朝の戦乱の中で、南朝側武将として北畠顕家とともに戦い、延元３年(1338)、伊勢で病没した。当社は地元民が宗広の墓側に「結城明神」と称する祠を建てて祀ったことを起源とし、津藩主藤堂氏の崇敬を受け規模を拡大した。明治13年(1880) ７月、明治天皇巡幸の折、幣帛料を下賜され、15年１月、特旨をもって別格官幣社に列せられた。

4　**別格官幣社 結城神社**　津市。図３の位置から左斜へ移り、少し遠くから撮影したもの。

5　**伊勢山田神苑会農業館**　明治21年(1888)頃より三重県の有志は、伊勢神宮の宮域を広げて、周辺部に神苑を開設し、徴古館や宿泊施設を設置するなど伊勢神宮周辺を整備することを目的として神苑会を組織し、熾仁親王を総裁に仰いで、寄付を募った。明治天皇や皇后、皇太后からも下賜を受け、農業館は明治24年5月神宮前に建設された。その後、明治38年に移転増築された。

6　**故神宮禰宜足代弘訓碑石**　現伊勢市宮後。足代弘訓は、江戸時代の国学者。天明4年(1784)生。足代家は代々伊勢神宮の禰宜。荒木田久老・本居大平・本居春庭などについて国学を修め、京都・大坂・江戸にも出て、国学者・儒家など多くの文人と交わった。天保の大飢饉では窮民救済に奔走し、古今の飢饉の史実と救荒食物の製法を記した『おろかおひ』を著述した。大塩平八郎とも親しく、天保8年(1837)の大塩騒動の際には、大坂に召喚され取調を受けている。また三条実美の父実万を通じて著述25冊を禁裏に献上するなど尊皇家としても知られ、吉田松陰との交わりもあった。安政3年(1856)病死するが、多くの門人を残しており、その中には佐佐木弘綱などがいる。碑名「寛居翁碑」の寛居《ゆたい》は弘訓の号。

7　三重県三重郡四郷村伊藤小左衛門製糸場内景　現四日市市。伊藤小左衛門は、三重県を代表する名望家で、幕末期から製茶・製糸・醤油業・酒造・機業と、各種の事業を営み、製糸場を含む工場の敷地面積は16,000坪に及んだという。明治12年(1879)、伊藤が病没すると、明治天皇は、参議山田顕義を派遣し、視察を命じている。

8　三重県三重郡四郷村伊藤小左衛門製糸場内景 其二　四日市市。

滋賀県

1　滋賀県庁ノ図　大津市

2　大津鉄道　大津付近の鉄道は、明治22年(1789)の東海道線全通の後は、大正期までの間、大正元年(1912)の京津電車(現京阪電鉄京津線)、大正２年開通の大津電車(現京阪石坂線の一部)を見るのみで、大津鉄道と呼ばれるものはない。しかしこの写真を見る限り、明治13年６月13日完成を見た東海道線、逢坂山トンネルの京都側入口ではないかと思われる。このトンネル工事は、鉄道頭井上勝がみずから技師長となって、初めて日本人の手だけで貫通したもので、以後、鉄道建設工事は欧米人の手を離れることとなる。工事竣工に伴い京都—大津間が開通し、７月14日、明治天皇も試乗している。なお逢坂山トンネルは、大正10年東海道線の付け替えにより廃止された。

3　近江八景ノ内 唐崎ノ松　大津市。近江八景とは、琵琶湖周辺の景勝地を、中国瀟湘八景にならって選んだもので、近年は安土桃山時代の近衛家当主、近衛信尹によって選定されたものといわれている。近世以降、詩歌や画題として知られるようになる。なお、唐崎は「唐崎夜雨」として知られる。

4　近江八景ノ内 粟津晴嵐

5　近江八景ノ内 瀬田ノ唐橋

6　藤房公旧跡 其一　藤房は万里小路藤房。鎌倉時代の公卿で、後醍醐天皇の近臣。後醍醐天皇とともにあり、天皇の失脚により一時流刑となった。鎌倉幕府滅亡後京に戻るが、建武元年(1334)に出家した。出家後現在の滋賀県甲賀郡甲西町三雲にある妙感寺を開いたという。没年は明らかでないが、境内に藤房自ら刻んだと伝えられる木像(図７)および墓所(図８)がある。写真は明治13年(1880)の北陸巡幸の途次、草津において三雲の戸長から献上になったものと思われ、『明治天皇紀』にそのことがみえる。

7　藤房公旧跡 其二

8　藤房公旧跡 其三

9　明治二十九年滋賀県風水害地写真 蒲生郡八幡町洪水ノ状　近江八幡市。琵琶湖沿岸地域は、近世以来、毎年のように水害に見まわれ、琵琶湖治水会の調査によれば、明治期でも、明治年間(1867—1912)で16回、水害に見まわれたという。特に被害の大きかったのは明治29年で、この年は9月3日から12日の間に、1000ミリ以上の降水があり、琵琶湖の水位は4メートルも上昇した。県内の死傷者は約100人と比較的少なくすんだものの、図6～30にみられるように、流出・全壊家屋は3,000戸をこえる大水害であった。

10　明治二十九年滋賀県風水害地写真 蒲生郡八幡町大字新町及池田町通浸水ノ状　近江八幡市。

11　明治二十九年滋賀県風水害地写真 蒲生郡岡山村洪水ノ状　近江八幡市。

12　明治二十九年滋賀県風水害地写真 八幡停車場浸水ノ状　近江八幡市。

13　明治二十九年滋賀県風水害地写真 八幡停車場近傍鉄道線路ノ状　近江八幡市。

14　明治二十九年滋賀県風水害地写真
蒲生郡安土村大字豊浦民家浸水ノ状
安土町。

15　明治二十九年滋賀県風水害地写真
栗太郡常盤村大字志那村社三大神社
三大神社は、現在の草津市志那町に所在する。祭神は、志那津彦命・志那津姫命・大宅公主命の3神。

16　明治二十九年滋賀県風水害地写真
栗太郡常盤村人家浸水後ノ状　草津市。

17　明治二十九年滋賀県風水害地写真 栗太郡常盤村村民水中芋ヲ掘収ル状
草津市。わずかに首が出るほど水位が上がっている様子がわかる。

18　明治二十九年滋賀県風水害地写真 栗太郡常盤村村民入浴ノ状　草津市。船に桶をすえ、臨時の浴槽としている。

19　明治二十九年滋賀県風水害地写真　栗太郡常盤村大字志那宗源寺大破壊ノ状　草津市。

20　明治二十九年滋賀県風水害地写真　栗太郡常盤村藤田某家屋減水後ノ惨景　草津市。

21　明治二十九年滋賀県風水害地写真　栗太郡常盤村会議所附近破壊ノ状　草津市。

22　明治二十九年滋賀県風水害地写真蒲生郡安土村繖山崩潰ノ状其一　安土町。繖山《きぬがさやま》は、観音寺山・桑実山ともよばれ、山頂に中世佐々木氏の観音寺城跡や西国三十三所観音霊場の観音正寺がある。

23　明治二十九年滋賀県風水害地写真蒲生郡安土村繖山崩潰ノ状其二　安土町。

24　明治二十九年滋賀県風水害地写真蒲生郡金田村医師小野某家屋ノ状　近江八幡市。玄関の柱には「ほねつぎ」とみえる。

25　明治二十九年滋賀県風水害地写真
蒲生郡安土村佐々木神社鳥居破損　安土町。正式名称は沙沙貴神社で、彦名命他5神を祀る。古代・中世を通じ、佐々木氏の氏神として尊崇を受けた。鳥居の左半分が額とともに倒壊した様子がわかる。

26　明治二十九年滋賀県風水害地写真
野洲郡北里村大字江頭家屋浸水ノ状
近江八幡市。

27　明治二十九年滋賀県風水害地写真
野洲郡北里村大字佐波江水中ノ人家
近江八幡市。

28　明治二十九年滋賀県風水害地写真
野洲郡北里村民日野川筋字仁保川堤防
露宿ノ状　近江八幡市。

29　明治二十九年滋賀県風水害地写真
野洲郡中洲村大字新庄ニ於ケル野洲川
堤防破潰仮工事ノ状　守山市。

30　明治二十九年滋賀県風水害地写真
野洲郡中洲村人家減水後ノ惨景其一
現在の守山市か中主町。

31　明治二十九年滋賀県風水害地写真
野洲郡中洲村人家減水後ノ惨景其二
現在の守山市か中主町。

32　明治二十九年滋賀県風水害地写真
野洲郡中洲村民寺院仮住ノ状　現在の
守山市か中主町。

33　明治二十九年滋賀県風水害地写真
野洲郡中洲村大字吉川ノ災民堤防ニ露
宿ノ状　中主町。

京都府

1　(京都御所)　東京遷都後、京都御所及び九門・皇宮地付属地は、一部京都府に管理を委任、公園として整備、あるいは博覧会場として貸与された。明治10年折りから駐輦中の明治天皇は漸次荒蕪に赴く様を歎惜し、保存の意向を示し11年に至り京都御所を宮内省の管理とした。その間の経緯は『京都御所保存関係書類』(宮内庁書陵部蔵)にくわしいがここに載せる御所・御苑の写真の大部分は11年大内保存掛より天皇のもとに数葉宛贈られたものである。清涼殿は紫宸殿の北西に東面して建ち、古くは天皇の日常の御殿であったが、御常御殿が出来て後は紫清両殿といわれ儀式用に用いられた。檜皮葺寝殿造で内部の間仕切が多い。殿前には籬に囲われた呉竹・漢竹が植えられている。

2　（京都御所 庭園） 小御所・御学問所の東の回遊式庭園は御池庭と呼ばれ、池中の島にかけられた欅橋は水面に孤を映す。

3　（京都御所 御鳳輦舎） 紫宸殿の南庭の周囲は回廊がめぐらされ、東面に日華門、西面に月華門が設けられている。日華門の外に御鳳輦舎があった。東西二間・南北三間、内部は杮板敷・繁垂木の造作で、両開の扉がつけられていた。現在はない。

4　（京都御所 御馬見所） 明治元年(1868) 8月24日御所内東北隅に馬見所が竣工し、馬場開が行われた。天皇は終日諸臣の騎乗を御覧になり、宴を催した。前庭は百花園となっている。

5　県井戸　県《あがたの》井戸は御苑内西の中立売御門の北、元一条邸跡にあり、古くは橘家の井戸であったと伝え、『後撰和歌集』に「県の井戸といふ家より藤原治方につかはしける」として橘公平女の歌一首が載せられている。中世より藪の中に埋没し不明となっていたが、明治10年(1877)から11年にかけて御苑が整備された際に発見された。

6　旧院両御門ノ図　仙洞御所は後水尾上皇の時、御所の東南に造営されたが、数度火災に罹り、嘉永7年(1854)4月6日の焼失後、偶々上皇がいなかったため殿舎は再建されず、苑池が残り、明治6年(1873)京都府に引渡され、一時公園となり、また博覧会社に貸渡されたが、8年皇宮地予備として保存が決まり、11年築地を修復、表御門に旧一条邸の四脚門を、通常御門に旧鷹司邸の薬医門を引き建てた。

7　烏丸通土墨門　東京遷都の後、京都御所九門は宮内省より京都府に管掌が移り、明治10年(1877)から11年にかけて御苑の全域の周囲に土塁・石塁を築いて整備が行われた。西側を限る烏丸通は今出川より南下立売下ルところまで土塁の長さ550間、乾・中立売御門等を土塁側に引き建てた。タイトルの「土墨門」は「土塁門」の誤り。

8　蛤御門内ノ図 甲　禁門の変で有名な蛤御門の内側は、かつて公家の邸地であったが、東京遷都後は次第に毀され空地となり、明治10年(1877)・11年に京都御苑の整備が行われ、芝生や樹木が植えられた。この時、門を烏丸通りに移動した。前方の築地は御所の西南部分で、その向うに紫宸殿の屋根が望まれる。

9　蛤御門内ノ図 乙　図11の位置から、より築地に近い位置から撮影している。

10　習学院御茶屋 其一　習(修)学院は後水尾上皇が山荘として営み、上御茶屋の浴竜池は舟で往来したが、文政年間(1818—30)以後隣雲亭の再興とともにこの橋が架けられた。橋は千歳橋といい、所司代内藤紀伊守信敦の寄進による。一枚岩に鳳輦と葛屋を列ねた廊橋である。明治19年(1886)林丘寺の旧地が中御茶屋となり、現在のように上・中・下三御茶屋よりなる修学院離宮となった。

11　錦 流 亭　明治10年(1877)乾御門内の近衛家旧邸７千坪余を買上げ、皇宮地附属地とした。12年調製の『京都御苑地実測之図』(宮内庁書陵部蔵)に見る如く、錦流亭は旧邸内にあり、茶室・座敷にて畳80枚半、戸67枚、障子132枚、襖11枚等の規模であった。なお、同亭は弘化３年(1846)盛化門院の由緒により、近衛忠煕が拝領したものである。

12　祐　井　明治天皇は嘉永５年(1852)９月22日生母中山慶子の父忠能の邸において誕生し、幼称を祐宮と称した。翌年８月京都は旱天に見舞われ同邸の井戸も涸れたため、新たに井戸を開鑿し皇子の用となした。孝明天皇は祐宮に因みこの井戸を祐井と名付けた。祐宮は安政３年(1856)宮中に移り、さらに践祚、即位後東京遷都が行われたが、明治10年(1877)忠能は井戸の傍に碑を建て、京都府知事槇村正直が碑文を撰した。13年碑石を据直し、石井筒を取替え、表面に祐井の２字を彫り付けた。明治天皇は桂宮邸行幸の途次これを御覧になった。

13　高倉橋ノ図 甲　堺町御門内の旧九条家邸地(現京都御苑内)はおよそ１万坪、明治11年(1878)９月、御苑内整備の際、旧邸内の拾翠園池に長さ32間、幅２間の仮土橋が架設され、高倉橋と名づけられた。同月25日より庶人通行し、また橋詰には茶店が営まれた。橋は、『京都御苑地実測之図』にも描かれている。池畔には旧九条邸の拾翠亭があり、図14には九条家の鎮守神、厳島神社の鳥居がみえる。

14　高倉橋ノ図 乙

15　高倉橋ノ図 丙

16　高倉橋ノ図 丁

17　京都療病院 其一　療病院は現在の京都府立医科大学病院の前身で、創業は明治５年(1872)にさかのぼる。仏教界、ついで医家・薬舗等の手により「広く衆庶の病難を救う」ために設立、木屋町において外国人医師ヨンケル等の診療が始まり、青蓮院に開設された。やがて鴨川畔の現在地に６年の歳月と12万円の巨費を投じて療病院・医学校が13年７月完工、移転した。中央の講堂は東京遷都後の明治３年３月京都府に下賜された産業基立金の利子１万５千円を以て建設されたという。

18　京都療病院 其二

19　京都療病院 其三

20　西京円山温泉ノ図　現東山区円山町。京都近代化推進者明石博高が保養目的の温泉を開き、明治６年(1873)金閣を模して三層楼をつくり、静養室兼展望室となした。また前庭には泉石を畳み、美を尽し、諸人入浴に群集したという。円山は安養寺の境内で、塔頭に六阿弥があり、江戸時代から遊興の地となっていた。19年公園地に指定、大正３年(1914)完成した。

21　**西京五条橋ノ図**　五条橋は古くは現松原通に架けられていたが、天正17年(1589)方広寺大仏殿造営に際し現在の五条通に架け替えられた。江戸時代は公儀橋として洪水あるいは火災の度、幕府によって補修や架設が行われた。慶応４年(1868)京都府の管轄となり一時欧風白塗の装飾が施されたが、市民に受入れられず、明治10年(1877)旧状に復されたという。

22　**西京四条ノ大橋**　四条橋は祇園橋とも呼ばれ、祇園社の神幸で知られるが、鴨川はしばしば洪水を生じ流失したため、ながく仮橋の時代が続いた。安政３年(1856)板橋が架けられ、明治７年(1874)４月鉄橋に換えられ橋上に紅白の硝子灯８本が建てられた。のち、橋上を電車が通ることとなり、明治とともに図にみえる橋は終りを告げた。なお、この時河床も改修され、納涼も廃止された。

23　天橋立之図　京都府北部宮津湾の西南奥に発達した砂嘴。平安時代から都人の憧憬の地で、近世に至り松島・厳島とともに日本三景の一つとされ、3キロ余の白砂の松林は傘松公園や大内峠からの一文字の眺めが名勝と賞された。

24　天橋立之図

大阪府

1　大阪市内紡績会社写真八枚 平野紡績株式会社　大阪市。大阪には、明治16年(1883)操業の大阪紡績三軒家工場(図８)以後、紡績工場が林立し、これらが大阪を、全国一の商工業都市へと押し上げた。図１～８の一連の写真は、明治25年頃までに操業された紡績工場で、これらの工場は、電灯の使用、徹夜業の採用、遠隔地からの女工募集など新しい経営により成功し、日本の産業革命を牽引することとなった。この平野紡績も、現在のニチボーにつながる工場である。

2　大阪市内紡績会社写真八枚 天満織物株式会社　大阪市。近江帆布と合併、朝日紡績となるが、昭和19年(1944)福島紡績会社に合併され、敷島紡績となる。

3　大阪市内紡績会社写真八枚 福島紡績株式会社　大阪市。明治25年(1892)、第二十二国立銀行大阪支店鈴木勝夫らによって資本金10万円の伝法紡績会社が設立され、日本綿繰会社の設備を継承し、10月、3,336錘の規模で開業した。翌年4月、会社を大阪府西成郡上福島村に移して福島紡績株式会社と改称して、二つの工場を持ち一万五千錘規模となった。以後多くの紡績会社を合併・買収し、昭和19年(1944)朝日紡績(天満織物・近江帆布の合併)を合併した際、敷島紡績と改称した。

4　大阪市内紡績会社写真八枚 天満紡績株式会社　大阪市。明治20年(1887)、第三十四国立銀行頭取岡橋治助によって設立。明治22年、天満紡績争議と呼ばれる日本最初のストライキがおきている。

5　大阪市内紡績会社写真八枚 金巾製織株式会社　大阪市。明治23年(1890)設立、明治39年大阪紡績会社に合併。

6　大阪市内紡績会社写真八枚 日本紡績株式会社　大阪市。設立には岡橋治助が関与している。明治38年(1905)、内外綿会社に買収される。

7　大阪市内紡績会社写真八枚 摂津紡績株式会社　大阪市。大阪船場の商人たちによって、明治22(1889)年４月、資本金120万円の有限責任会社として設立された。23年11月、西成区難波村に開業し、26年株式会社となり、31年には三つの工場、五万錘をほこる大工場に成長した。35年には大和紡績、平野紡績を合併し、鐘淵紡績に次ぐ我が国第二位の紡績工場となった。大正７年(1918)尼崎紡績会社と対等合併をし、大日本紡績会社(ニチボー)となる。

8　**大阪市内紡績会社写真八枚 大阪紡績株式会社**　大阪市。大規模経営により日本で最初に紡績企業に成功した会社。渋沢栄一の主唱で前田・蜂須賀・毛利らの華族層を中心とし、政商・綿関係商を加えて明治13年(1880)紡績組合を設立。15年5月、資本金25万円の大阪紡績会社として設立を認可された。工場は、大阪府西成郡三軒家村に建設。原動力は蒸気機関を使用し、イギリス製のミュール精紡機一万五百錘を誇った。16年7月開業とともに、大規模生産と昼夜フル操業により高率配当を実施、紡績ブームを呼び起こした。現在の東洋紡のルーツである。

9　綿糖共進会表門　明治期、殖産興業政策の一環として各地で共進会とよばれる展示会が開かれた。綿糖共進会は、明治13年(1880) 2月15日から4月5日まで、大阪府庁を会場として内務省勧農・商務両局主催で開催された。綿および綿製品と砂糖とは当時の主要な輸入品であり、輸入防止の必要からこの共進会の意味は大きく、全国から9,000人以上の見学者が訪れた。

10　綿糖共進会褒賞授与式場　会場となった大阪府庁舎は、イギリス技師ウォートルスの設計により、明治7年(1874) 7月に完成した西洋館で、江之子島(現西区江之子島)にあったことから「江之子島政庁」と呼ばれていた。なお、大阪府庁は、大正15年(1926)、中央区大手前の現在地に移転した。

11　綿糖共進会陳列室

12　綿糖共進会砂糖陳列室

兵庫県

1　**姫路城東表面之図**　別名白鷺城。国宝。大天守は5層7階で、白漆喰総塗込式。安土桃山期に羽柴秀吉が3層の天守閣を持つ一大城郭を築いたが、今日の姫路城は慶長5年(1600)の関ヶ原の戦直後、播磨52万石を領した池田輝政が本格的な築城を行なって完成した。明治初年、兵部省管轄の存城に指定されると、内・中曲輪は軍用地となって武蔵野御殿や武家屋敷は撤去されたが、陸軍卿西郷従道の上申を受けた政府は明治12年(1879)以降毎年修理費を下付した。明治30年以降は第10師団の駐屯地となった。また明治36年には明治天皇が天守閣に登臨している。

2　姫路城北表面之図

3　生野銀山之図　現朝来郡生野町。佐渡の金山と並ぶ日本を代表する鉱山。開坑は大同年間(806-10)とも伝えられるがつまびらかでない。戦国時代には織田信長・豊臣秀吉の支配下の置かれた。江戸時代になると、江戸幕府が銀山奉行を設置、天領として代官を置いて支配した。優良な鉱脈が発見された最盛期には、生野の町は2万人ほどの人口を誇ったといわれるが、幕末には採掘量が激減して休山に近い状態に陥った。明治に至り、政府はフランス人の御雇技師コワニエFrançois Coignet(1835-1902)を派遣し、鉱山司生野出張所を置いて近代的銅山として再興した。その後明治22年(1889)、宮内省御料鉱山となり、明治29年には三菱合資会社に払い下げられた。昭和48年(1973)、鉱脈の枯渇と公害問題などにより閉山した。

4　但馬出石小学校 前面一　現出石郡出石町立弘道小学校。出石小学校の前身は出石藩時代に置かれた藩校弘道館である。学制発布前の明治3年(1870)には早くも女子上下校が弘道館の管下に新設されるなど、女子教育にも力が注がれている。明治6年に出石小学校となり、ついで同13年弘道小学校と改称された。

5　但馬出石小学校 右側面二

6　但馬出石小学校 左側面三

7　(湊川神社ヵ)　創建間もない湊川神社(現神戸市)を撮影した写真であると思われる。湊川合戦で足利尊氏軍に敗れて自刃した楠木正成を祀った神社として名高い。湊川神社は明治元年(1868)伊藤俊輔(博文)らから楠社創立の請願がなされ、明治天皇の神社創祀の御沙汰書が下された結果、明治5年別格官幣社として創建された。明治13年には明治天皇が、昭和4年(1929)には昭和天皇が行幸している。その後社殿の大改築が行われ、また昭和20年3月戦炎で社殿が焼失していることから、写真は創建当時の神社の様子を伝えるものとして貴重である。写真奥にみえる本殿の付近が正成自刃の場といわれている。

8　(湊川神社ヵ)

9　但馬国玄武洞　豊岡市と城崎町の中間、円山川の東にある。文化4年(1807)、儒学者の柴野栗山がこの地を訪れて命名した。玄武とは「亀甲」を意味し、栗山はここから玄武と称したと思われ、のちに玄武岩の学名の由来となった。玄武洞を中心に青竜洞、朱雀洞、白虎洞があるが、これらはいずれもかつての石切場の跡である。

10　但馬国玄武洞

11　但馬国玄武洞

奈良県

1　**新薬師寺表門旧鐘楼堂**　天平19年(747)に光明皇后が聖武天皇の病平癒を祈願して建立した寺院。明治30年(1897)の古社寺保存法により本堂が国宝に指定された。

新薬師寺十二神将　新薬師寺の十二神将は、天平時代のしかも塑土製の像として、美術的、技術的にみて大変優れたものである。図2～14は、宮毘羅《くびら》大将と真達《しんだ》羅《ら》大将を除く10神将のものであるが、像自体は大正元年(1912)から2年にかけて修理、新補されており、したがって修理以前の姿が写されていて貴重である。なお、宮毘羅大将像は安政元年(1854)の大地震で倒壊したため、明治期には存在しておらず、現在見られる像は昭和6年(1931)の作製になる。なお、像名は国の重要文化財指定の名称によった。

2　新薬師寺本尊

3　新薬師寺薬師十二神将　伐折羅《ばきら》大将像。

4　新薬師寺薬師十二神将　迷企羅《めきら》大将像。

5　新薬師寺薬師十二神将　安底羅《あてら》大将像。

6　新薬師寺薬師十二神将　安底羅大将像の拡大。

7　新薬師寺薬師十二神将　珊底羅《さんてら》大将像。

8　新薬師寺薬師十二神将　珊底羅大将像の拡大。

9　新薬師寺薬師十二神将　因達羅《いんだら》大将像。

10　新薬師寺薬師十二神将　因達羅大将像の拡大。

11　新薬師寺薬師十二神将　頞邇羅《あにら》大将像。

12　新薬師寺薬師十二神将　波夷羅《はいら》大将像。

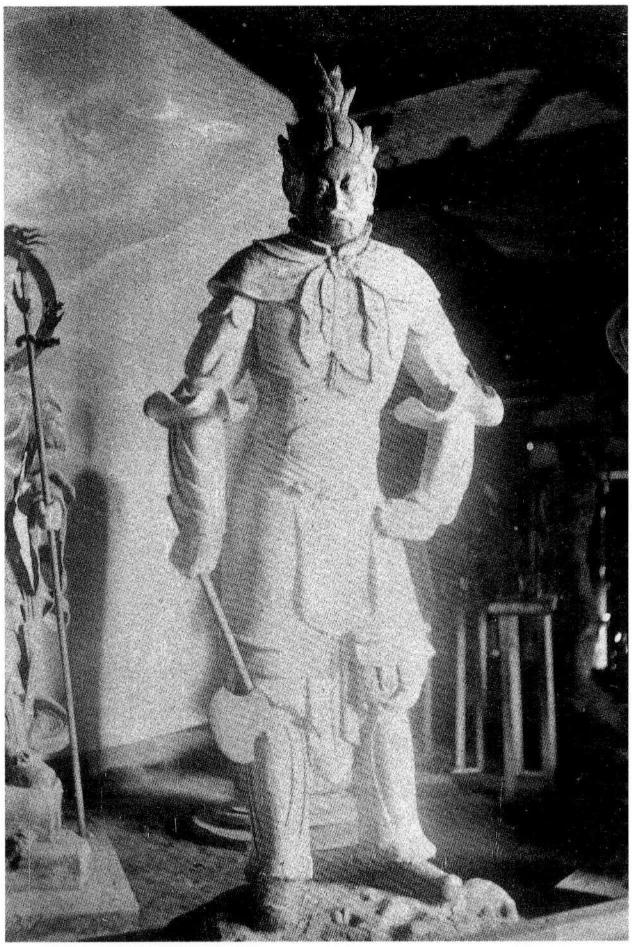

13　新薬師寺薬師十二神将　毘羯羅《びから》大将像。

14　新薬師寺薬師十二神将　招杜羅《しようとら》大将像。

15　新薬師寺薬師十二神将　摩虎羅《まこら》大将像。

鳥取県

1　鳥取市街　鳥取市街を町の西部から東に向かって写した写真。久松山の麓の鳥取城の櫓の一部が見える。城郭は明治12年(1879)に解体撤去されたので、この写真はそれ以前のものと推定される。

2　邑美法美岩井郡役所鳥取警察署　門柱左の表札は「(邑美法美岩井)郡役所」、右は「鳥取警察署」と書かれている。鳥取県は、廃藩置県によって明治４年(1871)に成立したが、明治９年島根県に併合され、鳥取には支庁が置かれた。その後明治12年、郡区町村編制法により邑美・法美・岩井郡役所が鳥取宮内町の旧県庁舎(鳥取藩御勘定場の建物を改築したもの)に設置された。明治14年に鳥取県が再置されたとき、郡役所は移転して再びこの建物に県庁が設置されたが、警察署はそのまま鳥取県の警察本署として存置された。したがって、この写真は明治12—14年のものと推定される。

3　鳥取県下伯州汗入郡淀江町今津村火災之後景　図3～5は明治24年(1891)12月30日の淀江大火の写真。淀江町より出火した火災は今津村にも及び、あわせて民家718戸を焼失した。明治天皇は1,000円を罹災者に下賜し、また侍従富小路敬直を差遣して被害状況を視察させた。今津村は現在淀江町に編入されている。

4　鳥取県下伯州汗入郡淀江町
今津村火災之後景

5　鳥取県下伯州汗入郡淀江町
今津村火災之後景

明治二十六年十月鳥取県水害写真

明治26年(1893)10月に西日本一帯を襲った暴風雨は鳥取県にも大きな被害をもたらした。明治天皇は鳥取県に対しては救恤の資として2,500円を下賜し、侍従北条氏恭を差遣し被害状況を視察させた。以下の写真から、県下全域にわたって多数の河川が氾濫、大きな被害をうけたことがうかがわれる。

6　明治二十六年十月鳥取県水害写真　八上郡明治村大字北村　明治村は現在河原町。河原町は千代川にその支流曳田川・八東川・私都川が合流する場所で、しばしば洪水による大きな被害をうけてきた。北村は谷あいの農山村で、曳田川に谷川が数本流れ込む場所である。

7　明治二十六年十月鳥取県水害写真　日野郡宮内村大字三栄村　宮内村は現在の日南町。県の西南端に位置し、日野川の源流とその多くの支流が流れる。

8　明治二十六年十月鳥取県水害写真　日野郡江尾村大字江尾宿　江尾村は日野川中流にあり、船谷川と江尾川が合流する小盆地で、現在の江府町の中心に位置する。

9　明治二十六年十月鳥取県水害写真　河村郡東郷村大字川上村　東郷村は現在の東郷町で、川上村は東郷川に合流する川上川が流れる。上流は花崗岩地帯で侵食が激しく、現在砂防指定地となっている。

10　明治二十六年十月鳥取県水害写真　河村郡竹田村大字久原村　竹田村は現在三朝町に属し、中央部を天神川が流れる。当時は天神川沿いの山の丘陵傾斜地域に民家が集中していた。

11　明治二十六年十月鳥取県水害写真　河村郡竹田村大字川上村

12　明治二十六年十月鳥取県水害写真
久米郡倉吉町大字堺町　現在の倉吉市。
堺町は北側を小鴨川が流れる。

13　明治二十六年十月鳥取県水害写真
久米郡小鴨村　小鴨村は現在倉吉市にあたり、小鴨川中流両岸の沖積地を中心とした農業地帯である。写真は氾濫した土砂で耕地が埋もれている様子。

14　明治二十六年十月鳥取県水害写真
久米郡上小鴨村

15　明治二十六年十月鳥取県水害写真 久米郡矢送村南谷村

16　明治二十六年十月鳥取県水害写真 八橋郡由良村大字由良宿　現在の大栄町。由良川が流れる。

17　明治二十六年十月鳥取県水害写真 八橋郡八橋村大字保村　現在の東伯町。八橋川の流域。

18　明治二十六年十月鳥取県水害写真 八橋郡古布庄村大字矢下村　東伯町。加勢蛇川が流れる。

19　明治二十六年十月鳥取県水害写真
岩井郡浦富村字阪谷　図19～21の浦富村、牧谷村、東村はいずれも現在の岩美町で、北は日本海に面する。牧谷村は吉田川が、東村は陸上川が流れる。

20　明治二十六年十月鳥取県水害写真
岩井郡牧谷村字日ノ谷

21　明治二十六年十月鳥取県水害写真
岩井郡東村大字陸上村字竹ヶ下

22　明治二十六年十月鳥取県水害写真高草郡豊実村大字下段　豊実村、および図23の穏治村、図24・25の明治村は現在鳥取市に属し、千代川支流の野坂川が流れる。

23　明治二十六年十月鳥取県水害写真高草郡穏治村大字上段字拝殿河原

24　明治二十六年十月鳥取県水害写真高草郡明治村大字小原村

25　明治二十六年十月鳥取県水害写真 高草郡明治村大字河田村字安蔵

26　明治二十六年十月鳥取県水害写真 高草郡岩坪村字坪尻　岩坪村は現在鳥取市に属し、千代川支流の砂見川の上流の小盆地。

27　明治二十六年十月鳥取県水害写真
気多郡鹿野村大字末用村字鬼入道　鹿野村は現在の鹿野町。河内川と浜村川の中・上流域に位置する。

28　明治二十六年十月鳥取県水害写真
気多郡鹿野村大字鹿野村古仏谷

29　明治二十六年十月鳥取県水害写真
気多郡瑞穂村大字宿村　瑞穂村は現在の気高町に属し、河内川の中・下流域左岸に位置する。

30　明治二十六年十月鳥取県水害写真　気多郡中郷村大字鳴滝村字神崎　中郷村(図30)、勝部村(図31・32)はいずれも勝部川流域で現在青谷町に属す。

31　明治二十六年十月鳥取県水害写真　気多郡勝部村大字紙屋村

32　明治二十六年十月鳥取県水害写真　気多郡勝部村大字八葉寺村

33　明治二十六年十月鳥取県水害写真 汗入郡大山村大字佐摩村　現在の大山町。大山の裾野にあたり、阿弥陀川の支流坊領川(佐摩川)が流れる。

34　明治二十六年十月鳥取県水害写真 汗入郡大山村大字佐摩村

35　明治二十六年十月鳥取県水害写真
会見郡法勝寺村大字鴨部村　法勝寺村は現在の西伯町。日野川支流の法勝寺川が流れる。

36　明治二十六年十月鳥取県水害写真
会見郡法勝寺村大字鴨部村

37　明治二十六年十月鳥取県水害写真
会見郡県村大字福万村　県村は、現在米子市に属し、佐陀川が流れる。

明治二十六年十月鳥取県伯耆国久米郡倉吉町水害写真　図38～72は、当時の倉吉町の洪水被害の状況を示す。倉吉町では9日夜より雨が降り出し、14日には暴風雨となって小鴨川が決壊、越中町以東が浸水した。さらに17日に明現寺堤が決壊して濁流が町内に流れ込み、一部を除きほぼ全町に床上以上の被害をもたらした。

38　明治二十六年鳥取県伯耆国久米郡倉吉町水害写真 字妙現堰決潰処ヨリ倉吉町全市街ヲ望ム

39　明治二十六年鳥取県伯耆国久米郡倉吉町水害写真 倉吉町大字仲ノ町成徳尋常小学校前ヨリ倉吉警察署ヲ望ム

40　明治二十六年鳥取県伯耆国久米郡倉吉町水害写真 倉吉町大字仲ノ町下部ヨリ字広小路ヲ望ム

41　明治二十六年鳥取県伯耆国久米郡倉吉町水害写真 倉吉町大字仲ノ町長谷坂下ヨリ同町東部ヲ望ム

42　明治二十六年鳥取県伯耆国久米郡倉吉町水害写真 倉吉町大字堺町一丁目ヨリ枡形ヲ望ム

43　明治二十六年鳥取県伯耆国久米郡倉吉町水害写真
倉吉町大字堺町二丁目字桝形惨況

44　明治二十六年鳥取県伯耆国久米郡倉吉町水害写真
倉吉町大字堺町字桝形ヨリ大字新町裏ヲ望ム

45　明治二十六年鳥取県伯耆国久米郡倉吉町水害写真　倉吉町大字堺町魚ノ棚頭ヨリ東町ヲ望ム

46　明治二十六年鳥取県伯耆国久米郡倉吉町水害写真 倉吉町大字研屋町

47　明治二十六年鳥取県伯耆国久米郡倉吉町水害写真 倉吉町大字魚町中央ヨリ東仲町ヲ望ム

48　明治二十六年鳥取県伯耆国久米郡倉吉町水害写真 倉吉町大字東仲町之図

49　明治二十六年鳥取県伯耆国久米郡倉吉町水害写真　倉吉町大字西町裏ヨリ大字西仲町裏ヲ望ム

50　明治二十六年鳥取県伯耆国久米郡倉吉町水害写真　倉吉町大字西仲町之図

51　明治二十六年鳥取県伯耆国久米郡倉吉町水害写真　倉吉町大字西町尻ヨリ同西部ヲ望ム

52　明治二十六年鳥取県伯耆国久米郡倉吉町水害写真　倉吉町大字西町頭四辻ヨリ大字新町三丁目ヲ望ム

53　明治二十六年鳥取県伯耆国久米郡倉吉町水害写真　倉吉町大字新町二丁目之図

54　明治二十六年鳥取県伯耆国久米郡倉吉町水害写真　倉吉町大字東岩倉町裏ヨリ大字新町筋ヲ望ム

55　明治二十六年鳥取県伯耆国久米郡倉吉町水害写真　倉吉町大字西岩倉町ヨリ大字東岩倉町ヲ望ム

56　明治二十六年鳥取県伯耆国久米郡倉吉町水害写真　倉吉町大字西岩倉町中央ヨリ大字東岩倉町ヲ望ム

57　明治二十六年鳥取県伯耆国久米郡倉吉町水害写真　倉吉町大字西岩倉町新道ヨリ大字福吉町ヲ望ム

58　明治二十六年鳥取県伯耆国久米郡倉吉町水害写真　倉吉町大字荒神町之図

59　明治二十六年鳥取県伯耆国久米郡倉吉町水害写真　倉吉町大字瀬崎町中央

60　明治二十六年鳥取県伯耆国久米郡倉吉町水害写真　倉吉町大字瀬崎町中央

61　明治二十六年鳥取県伯耆国久米郡倉吉町水害写真　倉吉町大字瀬崎町中央

62　明治二十六年鳥取県伯耆国久米郡倉吉町水害写真　倉吉町大字瀬崎町頭ヨリ同街道ヲ望ム

63　明治二十六年鳥取県伯耆国久米郡倉吉町水害写真　倉吉町大字瀬崎町岩瀬橋上ヨリ玉川筋ヲ望ム

64　明治二十六年鳥取県伯耆国久米郡倉吉町水害写真　倉吉町大字瀬崎町頭北側ヨリ同南側ヲ望ム

65　明治二十六年鳥取県伯耆国久米郡倉吉町水害写真　倉吉町大字瀬崎町裏ヨリ大字鍛治町一丁目裏ヲ望ム

66　明治二十六年鳥取県伯耆国久米郡倉吉町水害写真　倉吉町大字鍛冶町一丁目尻ヨリ大字瀬崎町頭ヲ望ム

67　明治二十六年鳥取県伯耆国久米郡倉吉町水害写真　倉吉町大字鍛冶町一丁目ヨリ同二丁目ヲ望ム

68　明治二十六年鳥取県伯耆国久米郡倉吉町水害写真　倉吉町大字鍛冶町一丁目ヨリ大字越中町頭ヲ望ム

69　明治二十六年鳥取県伯耆国久米郡倉吉町水害写真　倉吉町大字広瀬町頭ヨリ大字越中町ヲ望ム

70　明治二十六年鳥取県伯耆国久米郡倉吉町水害写真 倉吉町大字河原町ヨリ鍛冶町筋ヲ望ム

71　明治二十六年鳥取県伯耆国久米郡倉吉町水害写真 倉吉町大字河原町堤上ヨリ同河原町筋ヲ望ム

72　明治二十六年鳥取県伯耆国久米郡倉吉町水害写真 倉吉町大字湊町頭ヨリ字神坂ヲ望ム

島根県

1　浜田師範学校　明治初期の石見地方の行政域であった浜田県は明治８年(1875)６月、「浜田小学教授法伝習所」を開設し、那賀郡浅井村の民間製紙会社の建物を校舎としたと伝えられる。９年に浜田県は島根県に併合され、そのころ浜田師範学校と改称したが、13年には鳥取と浜田の師範学校などが、松江師範学校に統合された。その後16年に石見地方の教員の充実を計るため改めて浜田に師範学校が設置されたが、翌年には再び松江師範学校に合併され、島根師範学校となった。写真撮影の時期は明らかではない。

3　雲州松江福留村植物試験場　明治29年(1896)４月に八束郡乃木村福富(現松江市乃木福富町)に島根県農事試験場が、また那賀郡浜田町と周吉郡八田村に分場が設立された。写真は福富の本場。稲・麦・緑肥作物の育成に重点が置かれ、稲・麦の優良種子は県内各郡に配布した。40年４月に旧農商務省農事試験場山陰支部跡(松江市内)に移転した。

4　神道中教院　明治初期に国民の教化策として、教部省に神仏混合の教導職が設けられ、説教の場として東京に大教院、各府県毎に１ヵ所の中教院、その統轄下に小教院が置かれた。しかし大教院は明治８年(1875)５月に廃止となり神仏混合の説教も中止された。以後神道側は神道事務所を設立し県毎に分局を置き、神道中教院とした。これは18年ころまで存続した。門標には「石見国神道中教院」とあるので、石見地方の中心地の浜田に設置されたものか。

2　松江医院　明治９年(1876)２月ころから松江市内と周辺に天然痘が発生したことを発端として、同年９月１日松江市母衣町に松江公立病院が開院した。12年６月に県立松江医院と改称、18年には県立医学校に付属されて島根県医学校附属病院となったが、翌年には旧に復した。昭和11年(1936)日本赤十字社島根支部に移管され、現在の松江赤十字病院となる。

5　石見国一ノ宮物部神社　現太田市川合町川合。旧国幣小社、石見国一宮。祭神は宇摩志麻遅命。『延喜式』に安濃郡物部神社とみえる。創建は社伝によれば継体天皇8年という。史料上の初見は貞観11年(869)3月22日で、正五位下に叙せられたことを伝える。

6　柿本神社　現益田市高津町。旧県社。祭神は柿本人磨。高津川の左岸鴨山に鎮座。もとは神亀3年(724)に人磨の没したと伝えられる鴨島に創建されたが、万寿3年(1026)に地震により島自体が没し、御神体は松崎に漂着し、その地に再建された。天和元年(1681)に時の津和野藩主により現在地に移転した。享保8年(1723)の人磨千年祭の時に正一位柿本大明神を宣下された。祭神の性格から、江戸時代には和歌を奉納することが行なわれ、天皇をはじめ公卿らも奉納している。

7　鵜峠銅山　—　現簸川郡大社町鵜峠《うど》。竜 山《りゅうざん》の東麓に位置する。明治３年(1870)勝部本右衛門により採掘が始まる。明治10年代が最盛期で、主に銅を産出したが後には硫化鉄鉱や石膏も採掘し、昭和45年(1970)まで操業していた。

8　鵜峠銅山　二

9　松江之景 五　明治中ごろの松江市内。同じ場所から撮影したものかと思われるが、連続していない。図9・10に宍道湖が見られるから、市内を南から見たものと思われる。

10　松江之景 四

12　松江之景 二

11　松江之景 三

13　松江之景 一

岡山県

明治26年岡山県水害　明治26年(1893)10月13日夜半から九州・四国・中国地方を襲った暴風雨は、岡山県にも甚大な被害をもたらした。14日には高梁川、旭川をはじめ県内諸河川が氾濫し死者423人、家屋の流失破損約１万３千戸、堤防決壊11万ヵ所以上、橋梁流失２万ヵ所以上、田畑山林等の荒廃約345万町という。岡山県では前年の明治25年にも大洪水にみまわれており、さらにこの年の洪水の後には赤痢などの伝染病が流行して3900余人の死者が出るなど、岡山県民にとっては未曾有の厄年であった。天皇・皇后はこの洪水の被害に対し3500円を下賜したが、この暴風雨の被害に対し下賜金のあった10県のうちの最高額である。ここでは、水害の実況を示す24枚の写真を紹介する。

1　明治二十六年十月岡山県上房郡水害地写真　岡山県上房郡高梁町大字鉄砲町北部　高梁川中流の高梁町では、水位が14メートルを超え各所で堤防が決壊、床上３メートル以上の浸水となったところもあった。高梁町、松山村、津川村は、いずれも現在高梁市。

2　明治二十六年十月岡山県上房郡水害地写真　岡山県上房郡高梁町大字鉄砲町裏堤防破壊之図

3　明治二十六年十月岡山県上房郡水害地写真　岡山県上房郡津川村大字今津字地久ノ前

4　明治二十六年十月岡山県上房郡水害地写真　岡山県上房郡松山村字横町

5　明治二十六年十月岡山県上房郡水害地写真　岡山県上房郡松山村柳井重宣宅

6　明治二十六年十月岡山県下窪屋郡水害地写真 岡山県窪屋郡中洲村大字水江字桑村　中洲村(現倉敷市)では、堤防の決壊は4ヵ所、延長297間。そのうち古水江で堤防が約40メートルにわたり決壊し、濁流は南下して中島付近でも床上2メートルに達したという。

7　明治二十六年十月岡山県下窪屋郡水害地写真 岡山県窪屋郡中洲村大字水江字小水江

8　明治二十六年十月岡山県下窪屋郡水害地写真 岡山県窪屋郡中洲村大字中島

9　明治二十六年十月岡山県下窪屋郡水害地写真 岡山県窪屋郡中洲村大字中島堤

10　明治二十六年十月岡山県下窪屋郡水害地写真 岡山県窪屋郡中洲村大字水江

11　明治二十六年十月岡山県下窪屋郡水害地写真 岡山県窪屋郡中洲村大字中島

12　明治二十六年十月岡山県下窪屋郡水害地写真 岡山県窪屋郡中洲村大字中島

13　明治二十六年十月岡山県下窪屋郡水害地写真 岡山県窪屋郡清音村大字古地　清音村は高梁川左岸、倉敷市と総社市の間に位置する。清音村での堤防の決壊は6ヵ所、延長482間に達した。

14　明治二十六年十月岡山県下窪屋郡水害地写真 岡山県窪屋郡清音村大字黒田

15　明治二十六年十月岡山県下窪屋郡水害地写真 岡山県窪屋郡清音村大字古地

16　明治二十六年十月岡山県下窪屋郡水害地写真 岡山県窪屋郡常盤村大字中原　常盤村(現総社市)では、堤防の決壊1ヵ所、25間であった。

17　明治二十六年十月岡山県岡山市水害写真 岡山市中出石町大切通り番町死人掘出シ　岡山市では、市内を流れる旭川が下出石町で決壊したのを皮切りにして、次いで中出石町など各所の堤防が一時に決壊し、濁流は一気に市内各所に流れて被害をもたらした。市内の被害は、死者41、家屋流失112、家屋倒壊330余という。

18　明治二十六年十月岡山県岡山市水害写真 岡山市中出石大切通番町

19　明治二十六年十月岡山県岡山市水害写真 岡山市中出石町大切口

20　明治二十六年十月岡山県岡山市水害写真 岡山市中出石町大切口通リ二番町六番迄

21　明治二十六年十月岡山県岡山市水害写真 岡山市中出石切口通リ弓之町　弓之町には知事官舎があり、知事千坂高雅は突然の浸水に逃げ場を失ったが、巡査が駆けつけて、タライに載せられ救出されたというエピソードが伝えられている。

22　明治二十六年十月岡山県岡山市水害写真 岡山市出石町

23　明治二十六年十月岡山県岡山市水害写真 岡山市石関町切口

24　明治二十六年十月岡山県岡山市水害写真 岡山市石関町切口

広島県

1　**広島県庁之図**　当初の県庁は、安芸国の古刹で、浅野家の菩提寺でもある国泰寺に置かれたが、明治９年(1876)12月失火により焼失。直後に仏護寺を仮庁舎として移転したが、同11年１月に水主町(現加古町)に新築落成し、４月15日に開庁式を行なった。なお、明治天皇は、山口・広島・岡山３県巡幸の途次18年８月３日県庁に行幸した。

2　**広島県仮病院並ニ附属医学校之図**　現県立広島病院。病院は明治10年(1877) 5 月に創設されたが、病院として適当な建物がなかったため、県立医学校の北校舎を仮病院と定め、同年 6 月 1 日に開院し、12年 3 月まで診療したが、同月に本図の建物が新築落成した。18年 8 月 3 日に北白川宮能久親王は天皇の命により病院を視察している。医学校は、明治 5 年に設けられた躋寿館《せいじゅかん》を 7 年に仮医学校と改め、次いで病院と同じく10年 5 月に県立医学校とした。11年 3 月には広島県病院附属医学校となるが、21年 3 月に廃止された。

3　**広島県病院附属地之図**

4　広島県中学校師範学校之図　明治5年(1872)8月文部省は学制を制定して、全国を八大学区に分け、広島県は第四学区の本部に指定された。本部の県下には官立学校が創設され、広島県においても6年3月に官立外国語学校とともに官立師範学校が創設された。しかし、10年2月国策により廃止となり、両校とも県に引継がれ県立となった。その際外国語学校は英学校となり次いで中学校と改められた。18年8月3日天皇は山口・広島・岡山3県巡幸の途次両校を視察しているので、写真はその頃のものであろう。

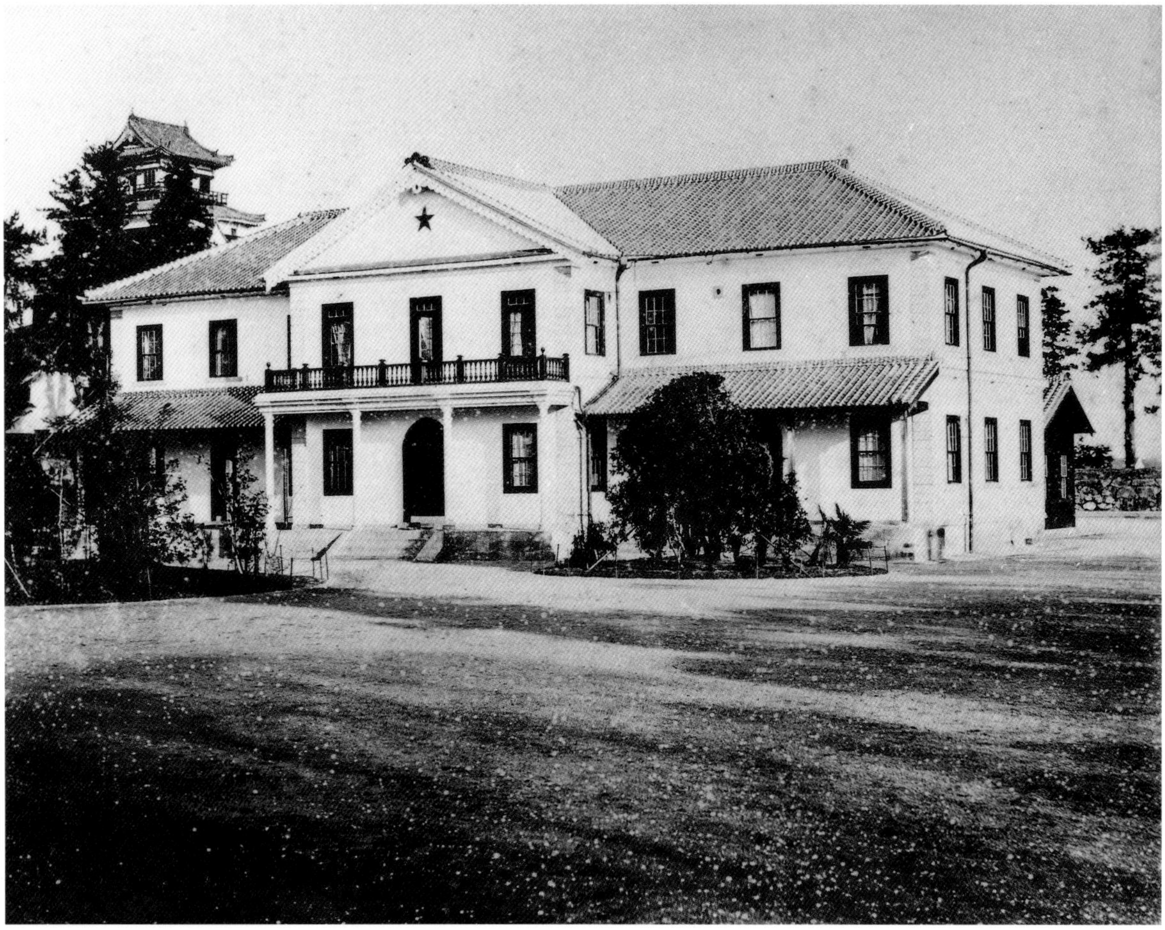

5　広島鎮台之図

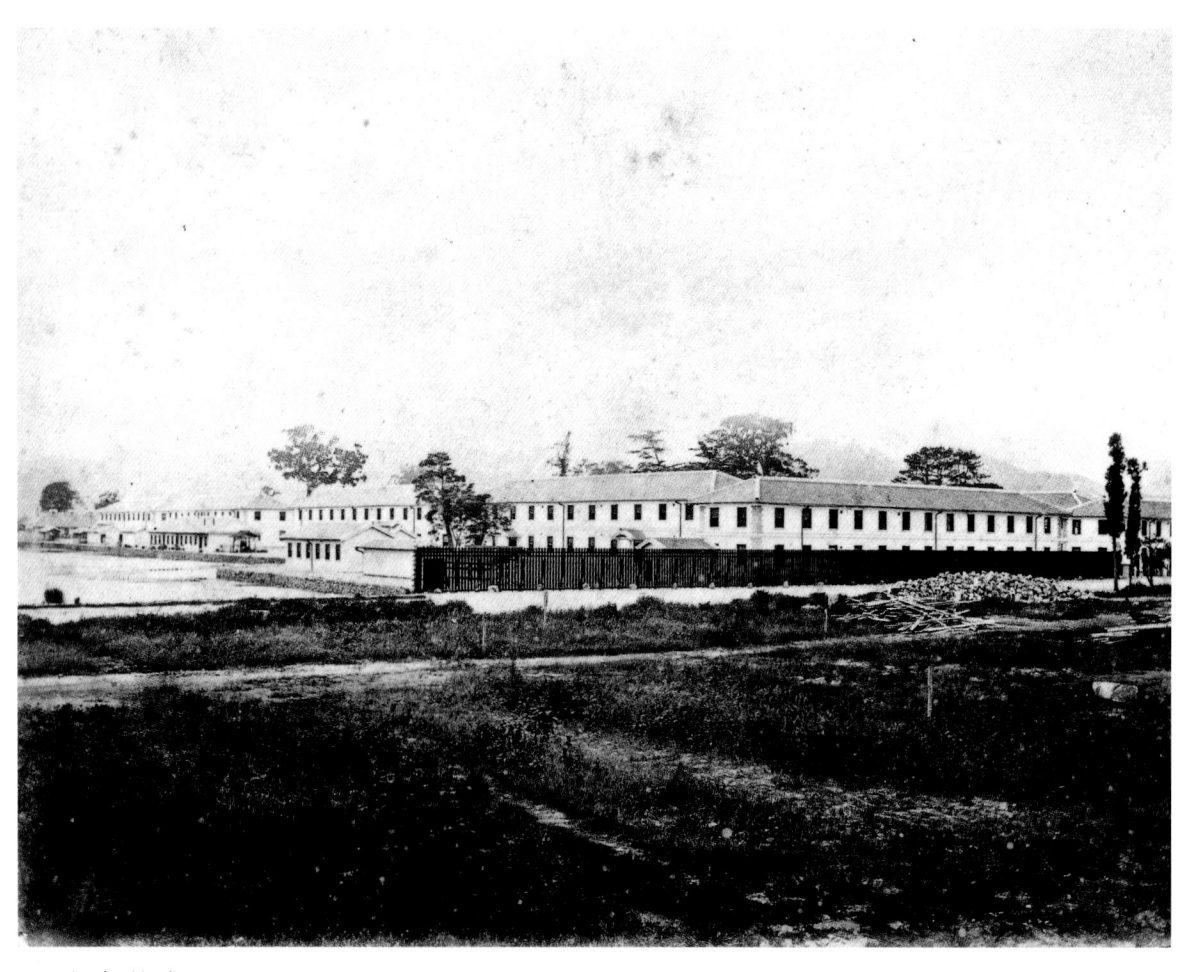

6　広 島 鎮 台

広島鎮台　明治4年(1871)7月、東京、大阪、鎮西(熊本)、東北(仙台)の4鎮台が配置され、広島には鎮西鎮台の分営が置かれ旧広島城内に所在した。その後6年1月の徴兵令制定にあたり、全国の鎮台の配置を改定し、名古屋鎮台・広島鎮台が加えられ6鎮台となった。広島鎮台は第五軍管下の広島・小田・島根・浜田・山口・香川など10県の軍務を管轄した。21年鎮台は廃止され師団となり、広島鎮台は第五師団となる。図5左奥は広島城天守閣。鎮台時代の18年8月2日山口・広島・岡山3県巡幸の天皇が臨幸し観兵式が行なわれたが、分列式之図(図7～9)はその時の分列行進の模様を撮影したものと思われる。

7　広島鎮台分列式之図

8　広島鎮台分列式之図 其二

9　広島鎮台分列式之図 其三

10　広島市相生橋之図　現広島市相生橋。元安川(手前)と本川(太田川)の分流地点で、写真の様に中之島を中継地として結ぶ橋。巾はともに2間8分で長さは元安川側が39間1分、本川側が46間6分と伝えられる。明治10年(1877)4月に着工し翌年7月に完成した。同27年まで工費弁済のため渡橋賃を徴収していた。右奥に元安橋が見える。

11　広島市中元安橋之図　現広島市中之島と大手町1丁目を繋ぐ。長さ28間2分、巾4間の橋で、毛利元就の第7子元康の架橋といわれ、古くは元康橋とも記した。現在もほぼ当時の場所に架かる。

12　広島市猫屋橋之図　現広島市中島町(手前)と本川町を繋いでいる本川橋。天正年間(1573—92)に猫屋町の商人猫屋九郎右衛門が私財を投じて架橋したという。西国街道に位置しているため広島市の枢要として周辺が発達した。明治になり本川橋と改称した。明治30年(1897)に鉄橋に改修された。

13　広島公園地内県社饒津神社之図　現広島市。もと饒津《にぎつ》大明神あるいは二葉山御社と称された。浅野家の祖浅野長政を奉祀する。創建は天保6年(1835)で、時の藩主浅野斉粛による。明治元年(1868)には、広島城内に祭られていた長政夫人末津姫を本社に配祀、同6年には県社に列せられて饒津神社と改称した。

広島県浅野別邸　現広島市中区。旧藩主浅野家の別邸「縮景園《しゅっけいえん》」。広島城の東側に位置し京橋川に接しており、「御泉水屋敷」「泉邸」とも呼ばれた。広島浅野家の初代長晟《ながあきら》により元和６年(1620)に造園された。造園にあたってさまざまな景観を凝縮したと伝えられ、ここからこの名がある。以後歴代藩主による改修等が加えられたが、殊に９代重晟の天明年間(1781―89)の大改修は庭園としての価値を高めたといわれる。写真に見える池は庭園のほぼ中央にある濯纓池《たくえいち》、中国風の石橋は跨虹橋《ここうきょう》である。昭和20年(1945)の原爆により園内の建物は破壊され、草木も打撃を受けたが、現在は復興され国の名勝に指定されている。明治27年(1894)11月６日大本営広島移転に伴い滞在中の天皇が行幸した。

14　(広島県浅野別邸景色写真)

15　広島県浅野別邸景色写真

16　広島県浅野別邸景色写真

17　広島県浅野別邸景色写真

18　広島県浅野別邸景色写真

19　広島市東練兵場ニ於テ第一師団第二連隊第八中隊散兵之図　東練兵場は、明治23年(1890) 1 月市内の尾長村と大須賀村(現JR広島駅付近及び北側)のうちの約21万 6 千坪に置かれた。27年 8 月に日清戦争が勃発し 9 月には大本営を広島に移し、第一師団も広島入りしているので、その頃の写真と思われる。

21　(二葉山より広島城方面を望む)　明治10年ころ。中央に流れる京橋川を挟んで向う岸が図22右から現広島市中区白島《はくしま》九軒町・東白島町・上幟町で、手前側が東区二葉の里から上大須賀町方面。白島は広島城のすぐ北側に隣接する地域。旧武家町であった。図22の中ほどが広島城で、見えている建物は歩兵第11連隊の兵営、図21右端川向こうの森は縮景園(図14〜18)であろう。

20　広島市二葉山ニ於テ第一師団第二連隊第八中隊整列之図　二葉山は東練兵場の北側に接する山。図19と同じ頃の写真であろう。

22 （二葉山より広島城方面を望む）

23　江波村ヨリ広島近傍ヲ望ム図 其三　図23から図25は、図21・22とほとんど同じ地域を見たところ。したがって、タイトルは誤り。見える川は奥を流れるのが太田川、手前が京橋川で、図25に見える川は猿猴川、右方に見える橋が神田橋、図24右が常磐橋であろう。常磐橋の左上に第21連隊兵舎が見え、その左が広島城で、歩兵第11連隊兵営が見える。また図24の左側の建物は23年12月に新築された騎兵第５大隊兵舎である。図23は東練兵場、右端にかすかに見える橋は手前が京橋、奥が明治11年(1878)架橋の柳橋であろう。11連隊兵営および京橋以外の建造物は前掲の図21・22には見えない。

24　江波村ヨリ広島近傍ヲ望ム図 其二

25　江波村ヨリ広島近傍ヲ望ム図 其一

26　広島県景色写真　現広島市西区草津から井口方面を見たところ。このあたりは今では埋立地となり、写真の様な海岸線の面影はない。図27と連続写真。

27　広島県景色写真

厳島神社　佐伯郡宮島町に所在し、推古天皇元年(593)の創建と伝えられる。現在見られるような壮麗な神社になったのは、平清盛の手厚い保護を受けるようになってからで、12世紀中ごろから。寝殿造り様式を神社に流用したと考えられている。平成８年(1996)に世界文化遺産に登録された。

28　宮島大鳥居　厳島神社拝殿から200メートルの海中に建てられており、現在の鳥居は明治８年(1875)の再建。枠指両部様式で額は有栖川宮熾仁《たかひと》親王筆で、表に「厳島神社」(図28)、裏に「伊都岐島神社」(図29)と記す。

29　厳島弁天鳥居

30　宮島本社

31　（厳島神社）

32　宮島能舞台

33　広島花畑　図は、厳島神社社殿の裏を撮影したもので、写真帖に付されたタイトル「広島花畑」は誤りであろう。

34　厳島神社

35　厳島神社

36　厳島弁天

37　宮島波止場

38　**厳島千畳敷**　神社の東北に位置する塔の岡にある。豊臣秀吉が毎月の経供養のために安国寺恵瓊を奉行として天正17年(1589)ころに創建した。瓦に金箔が押されているなど秀吉の気風を残している。五重塔は応永14年(1407)の創建と伝えられる。どちらも国指定の重要文化財。

39　宮島千畳鋪

40　厳島紅葉谷　紅葉谷は宮島中央部にある弥山北麓の紅葉川の渓谷で、現在は遊歩道なども整備され、春の新緑、秋の紅葉と観光の名所である。

41　厳島楓渓之図

呉鎮守府　現呉市宮原。図48から52はいづれも呉鎮守府の建設工事写真と考えられる。呉鎮守府は明治22年(1889) 7月1日に設置され、第二海軍区を所管太平洋戦争終結まで存続した。

42　呉港軍港司令部石段

43　呉港造船所ポンプ作事場

44　呉港倉庫

45　呉港汽車土石ヲ運ブ図

46　呉港人夫労働之図

47　備後写真 沼名前神社　現福山市鞆町後地。祭神は綿津見神。社伝によれば、神功皇后の三韓遠征の途次鞆浦に寄港し、安全を祈念し綿津見神を奉祀したのを沼名前《ぬなくま》神社の始まりとする。慶長4年(1599)に火災にあい社殿を移転し鞆浦祇園社境内に祀られたが、明治4年(1871)に国幣小社に列せられた時祇園社本殿に遷座した。昭和50年(1975)に再び火災に遇い写真の拝殿などを焼失した。現存の社殿はその後に再建されたもの。現存する能舞台は全てが組立て式で、伏見城から移築されたものと伝えられ、国の重要文化財に指定されている。

48　備後写真 城山ヨリ北面ヲ写シタル景　現福山市鞆町。城山は鞆町の中心部に存在する鞆城跡。その創設については明確ではないが、福島正則の時代には既に前身ともいう城が存したと考えられている。

49　備後写真 城山ヨリ東海面ヲ望ムノ景　鞆城跡から燧灘を見たところ。海上右端は仙酔島。

50　備後写真 城山ヨリ南海面ヲ望ムノ景
鞆城跡から鞆港を見たところ。正面に見える島は玉津島。

51　備後写真 後山ヨリ仙酔島ヲ望ムノ景　現福山市鞆町後地。仙酔島は古来和歌にも詠まれて著名な鞆浦に浮かぶ周囲5.2kmの小島で中央部の大弥山《おおみせん》からの鞆浦の眺望が素晴らしく、仙人をも酔わすということからこの名があるという。手前の小島は弁天島(百貫島)、右の小島は皇后島《こうご》。町並みは鞆町の中心部で、中央が鞆城跡、その手前の寺院建築は日蓮宗の古刹法宣寺である。古い町並みは現在も一部保存されている。

52　備後写真 仙酔島ヨリ西南方ヲ望ム景　弁天島(百貫島)を経て大可島城跡方面を見る。

53　備後写真 仙酔島ヨリ西面ヲ望ム景　弁天島(百貫島)。写真の堂は弁天堂で、裳階《もこし》付き朱塗りである。他に文永8年(1271)の記銘を持つ九重の石塔があり、県の重要文化財に指定されている。

54　備後写真 仙酔島ヨリ北面ヲ望ム景　現在の原漁港方面。

55　備後写真 医王寺ヨリ港内ヲ見タル景
現福山市鞆町鞆港。医王寺は鞆港に面した高台にあり、眺望の良さは古くから知られていた。医王寺は真言宗の寺で空海の創建と伝えられる古刹。右端に見える島影は走島。

56　備後写真 玉島ヨリ港内ヲ写シタル景
現福山市鞆町鞆港。現玉津島より鞆港を見たところ。

57　備後写真 大明神ヨリ港内ヲ見タル景
現福山市鞆町鞆港。

58　備後写真 要害ヨリ南海面ヲ望ムノ景　現福山市鞆町。鞆港から玉津島方面を見たところ。要害とは、鞆港の北側防波堤のように存在する大可島《おおかしま》(往古は図53の様に陸続きではなかった)にある大可島城のことで、貞和4年(1348)に足利直冬が中国探題として居城して以来鞆の要害と呼ばれた。近世に入り福山藩鞆奉行の統轄する要害番所が設けられた。城跡には現在円福寺が建つ。

59　備後写真 要害ヨリ西北方ヲ見タル景　現福山市鞆町。鞆港と鞆城跡方面を見たところ。港には商家と思われる蔵が立ち並び、和船が何艘も浮かび商業で栄えた鞆津がよく写し出されている。洋館の建つ中央右の小高い丘が城跡で、右手の建物は明治2年(1869)建築の料亭であったが、後、女紅場(女子初等教育機関)となり9年に女学校となった。中央(26年建築)と左(10年建築)の建物は小学校である。各々大正時代初期までは存続していた。中央の建物が明治26年の建築とされるから、一連の備後写真はそれ以後の撮影である。

60　備後写真 阿伏兎岬ノ景　現沼隈郡沼隈町能登原。沼隈半島の南西端にあり、瀬戸内屈指の景勝の地で国の名勝に指定されている。写真に見える堂は、岬に立地する臨済宗磐台寺の観音堂で、俗に阿伏兎観音として親しまれ、建物は国の重要文化財に指定されている。堂の裏手を下がったところに客殿があり、ともに毛利輝元の建立といわれ桃山時代の様式をよく残している。

山口県

1　**岩国義済堂之図**　現岩国市岩国。旧藩主吉川家は、明治維新後の家臣団の就業を憂い、士民救済の策として、明治6年(1973)8月就業講習所を設置した。明治8年6月、これを義済堂とし、旧藩士の生活救済や福祉増進のための低利貸付などを行なう金融機関となった。大正8年(1919)以降は株式会社組織となり、地域産業の育成などをはかる重要な金融機関として活動を続け、現在は織物メーカーとして存続しいる。

2　(錦 帯 橋)　岩国市。延宝元(1673)年、岩国藩主吉川広嘉により錦川にかけられた錦帯橋は、特殊な構造とその優美な姿から、明治初年頃より全国に知られるようになり、明治20年代後半からは県も保存運動に力を入れるようになった。明治39年(1906)、北白川宮王妃より錦帯橋維持基金が下賜されると、それを基礎として岩国保勝会が設立された。大正11年(1922)名勝指定を受け、15年の皇太子(昭和天皇)行啓の折りには錦帯橋を渡られた。昭和25年(1950)9月、同橋は流出を見たが、28年再建された。

徳島県

1　徳島市写真 才田高バシ南詰　徳島市。明治21年(1888) 7月29日から暴風雨が続き、31日に至って吉野川が氾濫し、徳島市周辺に大きな被害をもたらした。流出家屋172戸、死者は26名に及んだという。吉野川の氾濫は明治期を通して度々起きているが、これら一連の写真は、その時の徳島市内中心部の様子を記録したものと思われる。

2　徳島市写真 才田高バシ北詰

3　徳島市写真 才田旧加島下屋敷

4　徳島市写真 住吉島橋近傍

5　徳島市写真 住吉島某氏居宅

6　徳島市写真 徳島町堀川筋

福岡県

1　元寇紀念碑建設起工式写真　現福岡市東区。明治23年(1990)頃、福岡県の有志者が、博多湾頭千代の松原に元寇、すなわち文永・弘安の役の紀念碑の建設を企図した。このことが明治天皇の耳に入り、賜金千円を賜っている。

2　官幣大社香椎宮　拝殿正面。福岡市東区香椎。旧官幣大社。祭神は仲哀天皇と神功皇后。『万葉集』に大宰帥大伴旅人らが「香椎宮」を奉拝したという記録がみえる。本殿は享和元(1801)年、福岡藩主黒田長順の造営によるもので、現在は重要文化財に指定されている。

3　官幣大社香椎宮 其三　南大門。

4　官幣大社香椎宮 其四　楼門。

5　官幣大社香椎宮 其五　御神木綾杉。香椎宮の綾杉は、神功皇后の新羅出兵、足利直義の瑞祥が伝えられている。

長崎県

1　長崎女夫川

2　長崎女夫川

3　諸港軍艦停泊写真　長崎港内魯艦「ブラジミールモナマウク」号幷ニ帝国軍艦数艘春季皇霊祭三檣国旗ノ遠望　春季皇霊祭は、今の春分の日に行なわれた宮中祭祀の一つ。

4　諸港軍艦停泊写真　軍艦高千穂紀元節ノ満艦飾　巡洋鑑「高千穂」は、明治19年(1886)イギリスで竣工した当時としては最新鋭の艦船で、同年イギリスより回航されると、明治天皇は横浜に行幸し試乗している。また明治23年の第2回観艦式の際にはお召艦となっており、この写真は何年のものか定かではないがその頃のものと推測できる。なお同艦は、日清・日露両戦役に参加。さらに第一次大戦では青島攻略戦に参加、大正3年(1914)10月17日、膠州湾沖で撃沈されている。

5　**佐世保港内**　明治初年まで、佐世保は寒村であったが、明治19年(1886)、
鎮守府の設置が決まると、以後急速な発達を見ることとなった。

6　佐世保港ドック見立所

7　佐世保港兵舎　建築中。

8　佐世保港兵舎　建築中。

9　四月八日第一期防御艦隊各艦佐世保軍港内ニテ戦闘準備ノ位置 第一

10　長崎新大前 軍団病院写真

11　長崎県高来郡口ノ津風水写真
口之津町。明治26年(1893)10月13日より、九州・四国・中国地方に暴風雨があり、この口之津港にも大きな被害をもたらした。この一連の写真は、この口之津港およびその周辺地域の被害状況である。口之津港は、明治22年7月、米・麦・石炭などの主要産品を外国へ輸出することのできる特別輸出港として指定を受けており、明治29年10月には外国貿易港として、全面的な対外貿易が開始されることとなる。

12　長崎県高来郡口ノ津風水写真
口之津町。

13　長崎県高来郡口ノ津風水写真
口之津町。

14　長崎県高来郡口ノ津風水写真
口之津町。

15　長崎県高来郡口ノ津風水写真
口之津町。

16　長崎県高来郡口ノ津風水写真
口之津町。

17　明治二十六年長崎県高来郡風害写真

18　明治二十六年長崎県高来郡風害写真

19　明治二十六年長崎県高来郡風害写真

20　明治二十六年長崎県高来郡風害写真

21　明治二十六年長崎県高来郡風害写真

熊本県

1　熊本城 一号　熊本城は明治4年(1871)に鎮台が置かれ、10年の西南戦争では政府軍の本営となった。この戦いで政府軍は作戦上、城下の焼払いを決め同年2月19日に決行したが、同日、天守閣も原因不明の失火により小天守などとともに炎上焼失した。これは熊本城守備兵の士気を鼓舞するため鎮台みずからが火を放ったともいわれる。しかし、宇土櫓・平櫓・不開門などの建造物は類焼をまぬがれ国の重要文化財に指定されている。写真は焼失前の天守閣。現在のものは昭和35年(1960)の再建。以下に掲げる熊本県の写真は西南戦争に関係したもので、その前後に撮影されている。

2　迎町ヨリ長六橋ヲ望ム景 四号　長六橋は熊本城東を流れる白川に架橋されており、現熊本市河原町と迎町を繋ぐ。加藤清正築城当時からの交通の要路で、白川には城の防備のため長六橋以外は架けられていなかった。名前の由来は、最初の架橋が慶長6年(1601)の清正の築城の時であったため慶長6年を縮め長六橋と称されたといわれる。現在の橋は平成元年(1989)に架け替えられたもの。本図は図3と連続写真となっている。

3　迎町ヨリ長六橋ヲ望ム景
其二 五号

4　賊兵六丁目河ヲ関留メ河水ヲ田畑ニ灌クノ図 二号　西郷軍は明治10年(1877)3月田原坂の戦いの後、市中の坪井・井芹両川を堰止め氾濫させ、熊本城の政府軍を孤立させた。井芹川は現在熊本市横手付近で西流し高橋町で坪井川と合流するが、当時は横手でそのまま南流し市内細工町の一駄橋の少し上流で合流していた。西郷軍はその一駄橋からわずか下流に堰を設けた。この堰止めで熊本城西面の井芹川流域のほとんどと、東面の坪井川流域の一部が水没した。写真中央に見える堤が堰、手前の橋が一駄橋西詰めか。説明文の「六丁目河」は俗称か、明らかでない。

5　花岡山ヨリ本妙寺田畑出水ヲ望ムノ真景 三号
花岡山は熊本城から鹿児島本線を挟んで西南約２キロにある山で、山頂には西郷軍の砲台が設置された。本妙寺田畑は花岡山から北約２キロにある。

6　祇園社ヨリ北岡出水ヲ望ム真景 其二 十五号
祇園社は花岡山にあり、北岡はその東に位置する小丘。当時北岡の東の裾を井芹川が流れていた。本図は図７と連続写真となっている。

7　祇園社ヨリ北岡出水ヲ望ム真景 其一 十四号

8　二本木賊本営之景 七号　二本木は現鹿児島本線熊本駅の東側、坪井川と白川に挟まれた一帯。西郷軍は熊本城包囲戦にあたって本営をはじめ春竹村に置いたが、次いで横手村、二本木村へと移動した。西郷軍が撤退するまで本営は二本木村に置かれた。

9　花岡山ヨリ市中ノ兵火及ビ賊塁之真景 八号
花岡山より熊本城方面を見たところか。

10　花岡山ヨリ新町地方ノ眺望 九号
新町は熊本古城の西側に接する一帯。

11　花岡山ヨリ古町方角焼跡ヲ望ムノ景 十号　古町は現熊本市二本木。花岡山の東南に位置し、白川東岸に接する。

13　北岡ヨリ藤崎ヲ望ム景 其二十八号　藤崎は城の西側、新町の北に位置する。中央の川は井芹川か。本図は図14と組写真となっている。

12　新屋敷焼跡之景 十六号　現熊本市新屋敷。政府軍により焼払われた城下。新屋敷は旧武家屋敷町で、城の東側白川の東岸に接する地域。手前に見える川は白川であろう。

14　北岡ヨリ藤崎ヲ望ム景 其一　十七号

西南戦争政府軍将校写真　図15～20は時期、場所ともに明らかでなく、したがって熊本県に掲出すべき写真ではないかも知れぬが、前掲の西南戦争写真に関わるものとして便宜ここに収める。写真にはタイトルもない。このうち図15は幕末からの在日英人画家チャールズ・ワーグマンにより刊行された雑誌「The Far East」に「西南戦争政府軍将校」として掲載されている。

15（西南戦争政府軍将校写真）

16（西南戦争政府軍将校写真）

17（西南戦争政府軍将校写真）

18 （西南戦争政府軍将校写真）

19 （西南戦争政府軍将校写真）

20 （西南戦争政府軍将校写真）

宮崎県

1　日向国々幣小社都農神社　現児湯郡都農町川北。拝殿及び奥院。創建は明らかでないが、『延喜式』に小社と定められる旧国幣小社で、日向国一宮である。祭神は大己貴《おおなむち》命。神武天皇の東征の時、当地で征討祈願のため奉斎したのがはじまり、との言い伝えがある。現在の社殿は安政6年(1859)の建立。

2　日向国々幣小社都農神社 其二

3　日向国々幣小社都農神社 其三　大鳥居の扁額には、「日向国一宮都農神社」とみえる。

鹿児島県

1　鹿児島磯海浜　鹿児島市街から田ノ浦を経て磯地区(尚古集成館、磯庭園を中心とする一帯)に到る海岸沿いの道路を磯街道といい、磯海浜はその海岸をさす。明治5年(1872)6月鹿児島に行幸した明治天皇は、田ノ浦から磯街道を経て磯の紡績所、大砲製造所などの諸工場を巡覧した。写真は琉球人松と呼ばれる名所で、海岸に面した奇岩の上に、松が石灯籠に抱きつくように生え、海面に向かって見事な枝を張っている。

2　**鹿児島磯海浜**　海岸に突出した岩の風景から、田ノ浦の潮音院ヶ鼻(岬)と称された場所の写真と推定される。潮音院は真言宗の寺院で、明治２年(1869)廃寺となり、その後一般の民家があったとのことで、その時期の写真と思われる。明治28年丸田正盛が海岸の一部を埋め立てて別荘を建て、30年に改築して料亭を開いた。これが戦前の鹿児島で著名であった風景楼である。風景楼も今はなく、跡地は現在多賀山公園の麓に位置し、正面の海面は埋め立てられている。

沖縄県

首里城　首里城の創建時期は明らかになっていないが、1427年に建立された碑文により、それ以前には存在した事が知られる。主に第一尚氏王朝、第二尚氏王朝の城。太平洋戦争前までは比較的よく残っていたが、首里城一帯が戦場となったため全てが破壊された。その後復帰前の昭和32年(1957)から復元修理が行われ徐々に整備が進み、各門などが復元され、現在首里城公園として公開されている。

1　首里城門　写真は守礼門で、首里城大手第２の門。第二尚氏王朝４代の尚清時代に創建され、昭和８年(1933)には国宝に指定されたが太平洋戦争で焼失、現在の門は昭和33年に復元したもの。「守礼之邦」の扁額を掛ける。奥に見える門は首里城正門の歓会門。

2　首里城門　図２・３は、瑞泉門。歓会門の次にある門で、階段右側に琉球第一とされる湧水があり、門名の由来となる瑞泉と称された。湧水は石彫の竜の口から注がれているが、この竜は16世紀中頃に中国からもたらされたものである。門の創建は1470年ころで、守礼門同様国宝に指定されたが、やはり戦争で焼失。第四番門とは中山門から数えたもの。左後ろにみえる建物は漏刻門。

3　首里城第四番門及同門前山第一泉出スル所

4　首里城第五番之門　漏刻門。時刻を計って太鼓で知らせていたためこの名がある。付近には日時計を設置していた。また、「かごいせ御門」とも呼ばれ、往時はここで駕籠から降りるいわゆる下乗門でもあった。創建は15世紀ころと伝えられる。

5　首里城第七番即正殿前奉神門　漏刻門から広福門をへて下之御庭に出ると、左手が奉神門である。御庭《ウナー》を挟み正殿に対しているため、さまざまな儀式で重要な役目を果した。別名君誇御《キミホコリウ》門《ジョウ》ともいう。16世紀後半の創建で、明治45年(1912)に取り壊された。

6　首 里 城　正殿。百浦添《モモウラソエ》、唐破豊《カラハホウ》とも呼ばれた。３階建てで首里城で最大の建物。王の執務する所で、１階は下庫理《シチャグイ》と呼び政務を執り、２階を大庫理《ウフグイ》と呼び儀式を行なったが、古くは寝室として使われていたという。３階は通風を目的とした小屋裏であった。中国紫禁城や韓国景福宮との比較で類似点が多いことが指摘されている。

7　琉球国王歴代墓所　第二尚氏王朝の歴代墓所。中山門から守礼門に向う綾門大《アヤジョウウフ》道《ミチ》の沿道にあり、玉陵《タマウドゥン》と呼ばれた。手前の階段から西室・中室・東室と並ぶ。

8　中城古城之全写　現中頭郡中城村《ナカグスクソン》。第一尚氏王朝の2代尚巴志が琉球を統一した15世紀前半ころまで沖縄本島だけでも「ぐすく」と称された城が200以上もあったと考えられており、各地に石垣などの遺構が残っている。中城もその一つである。15世紀前半に築城の名人といわれた読谷山按司の護佐丸により築造された。城跡公園として整備され、現在国の史跡。

9　那覇崇元寺門前　現那覇市泊。崇元寺は第二尚氏王朝の尚真王の創建になる国王家の祈願寺であった。太平洋戦争により破壊され、現在は石門と石垣のみが残り、ともに国の重要文化財に指定されている。写真には土地の農夫と思われる人が写されている。男は天秤棒で荷を担ぎ、女は頭上で荷を運搬して、ともに素足である。その様子は東京国立博物館所蔵の19世紀の沖縄の農夫図と同じである。

10　那覇崇元寺橋

11　那覇泉崎橋之景

12　那覇松原ヨリ楚辺原辺ヲ望ム景

13　那覇松原ヨリ垣ノ花ヲ望ム景

14　那覇松原ヨリ城嶽ノ辺ヲ望ム景

15　那覇城嶽ヨリ首里ヲ望ム景

16　那覇久米村ヨリ海浜ヲ望ム景
現那覇市久米。久米村には琉球と中国との貿易が盛んになると移住民が多く住むようになった。

17　那覇波ノ上ヨリ崎樋ヲ望ム景

18　那覇波ノ上ヨリ人民ノ墓所ヲ望ム景

19　琉 球 人

20　琉球人之踊　図20～22は、写真撮影のために琉球舞踊の衣装を着けたと考えられ、人物・背景とも同じである。本図の踊り手３人は両手に扇子を持つ。曲目は「四季口説」あるいは「松竹梅」であろうか。座っているのは地方《じかた》である。

21　琉球人之踊　曲目は不明。３人が前につけているのが造りものの馬の首だとすると、沖縄の遊女(ジュリ)たちの祈願行事のジュリ馬とのかかわりがあるかもしれない。

22　琉球人之踊　曲目は「綛掛《かせかけ》」。手に糸をつむぐ道具の綛と枠を模したものをもち、糸作りの動作からいとしい人への女性の思いを表わした踊り。

参考図書

明治天皇紀　宮内庁編　1968～77　吉川弘文館
国史大辞典　1979～97　吉川弘文館
日本歴史地名大系　1979～　平凡社
日本地名大辞典　1978～1990　角川書店
明治官制事典　朝倉治彦編　1969　東京堂
日本国有鉄道百年史　2　1970　日本国有鉄道
明治天皇行幸年表　井上清純編　1933　画報社
日本社寺大鑑　1933　日出新聞社
神道大辞典　1937　平凡社
ふるさとの文化遺産 郷土資料事典　1997・98　人文社
各県史シリーズ　1969～80　山川出版社
各県歴史散歩シリーズ　1987～95　山川出版社

新撰北海道史　1937
札幌区史　1911
函館区史　1911
北海道写真史　1983
日本鉄道紀要　1898
宮城県史　6・7　1960
山形県史　1986
鶴岡市史　1975
酒田市史　1958
図説山形県の歴史　1996　河出書房新社
新版山形県大百科事典　1993　山形放送
日光市史 中　1979
群馬県史 通史編7～9　1989～91
前橋市史　1971～85
高崎市史　1927
北甘楽郡史　本多亀三　1928
多野郡誌　1910
山田郡誌　1939
群馬郡誌　1925
利根郡誌　1930
佐波郡誌　1923
確氷郡志　1923
群馬県教育史　1967
群馬県蚕糸業史　1955
史跡探訪・関東100選 上　日本歴史教育研究協議会編　山川出版社
群馬世相100年　石原征明監修　1992
桐生市史　1958～71
図説埼玉県の歴史　小野文雄編　1992　河出書房新社
目で見る本庄・児玉の100年　小野英彦ほか編　1999　郷土出版社
埼玉大百科事典　堀拓二編　1974　埼玉新聞社
陸軍士官学校　山崎正男　1969
大蔵省印刷局百年史　2　1972
東京国立博物館 目でみる120年　1992　東京国立博物館
小笠原諸島概史　辻友衛編　1985
小笠原島誌纂　小笠原島庁編　1888
小笠原島総覧　東京府編　1929
小笠原島要覧　磯村貞吉　1888
よみがえる明治の東京　玉井哲雄編　1992　角川書店
新宿御苑（東京公園文庫3）　東京都公園協会監修　1981
小石川後楽園（東京公園文庫28）　東京都公園協会監修　1980
東京日々新聞
北洋の開拓者　豊田穣　1994
新潟県史　1980
明治11年明治天皇新潟県御巡幸六十年記念誌　1937　新潟県
新潟県百年のあゆみ　1971
高田市史　1958～80
直江津町史　1954
新潟大学医学部七十五年史　1994
新潟県農業試験場百年史　1994
新潟開港百年史　1969
出雲崎編年史　佐藤吉太郎編　1972
古老が語る直江津の昔　1981　柿村書店
新潟県の100年　1985　新潟日報
新潟新聞
富山県史 近代　1981～84
高岡市史　1959～63
射水郡誌　1909
入善町史　1986～90
魚津市史 下　1968～72
宇奈月町史　1969
黒部市史　1964
下新川郡誌稿　1909
明治天皇北陸御巡幸六十周年記念誌　1938
富山県の歴史と文化　県史編纂委員会　1958
秘境越中五箇庄　石崎直義　1971
甦る日本一の禅宗伽藍ー高岡山瑞龍寺ー　上野幸夫　1996
富山大百科事典 下　1994
富山県神社史　富山県神社庁編　1983
富山県の教育史　1985　思文閣出版
富山県大百科事典　1976　富山新聞社
石川県史　4　1931
石川県羽咋郡誌　1917
石川県鹿島郡誌　1928
福井県史　3　1922
新信濃風土記　1972　ジャパンアート
上田市史　1940
北安曇郡誌　1923
更科郡誌　1914
信州新町史 上　1979
長野県警察史 各説編　1958
日本名勝地誌　4　1894　博文館
信濃名勝誌　村松今朝太郎　1990　上原書店
帝室林野局五十年史　1939
静岡県の学校　堀川与四郎編　1987　静岡教育出版社
熱海市史 下　1968
明治大正昭和歴史資料 災害編　1933　有恒社
ビゴー日本素描集（岩波文庫）　清水勲編　1986
岐阜県歴史資料館館蔵古写真集　2　1998
岐阜県史　1972
岐阜市史　1981
墨俣町史　1956
肥田町史　1996
岐阜県案内　1901　岐阜県農会
宇治山田市史　1929
新修大津市史　1982
近江蒲生郡志　1922
近江栗田郡志　1925
京都の歴史　7～10　1968～76　学芸書林
京都御所保存関係書類（宮内庁書陵部蔵）　1868～1892
京都御苑地実測之図（宮内庁書陵部蔵）　1879
京華要誌　京都市参事会編　1895
新選京都名勝誌　京都市役所編　1915
京都府立医科大学百年史　1974
西京新聞
新修大阪市史　5　1991
湊川神社史 下　1987
兵庫県教育史　1963
鳥取市史 近代1・2　1969

鳥取県郷土史　1932
倉吉市史　1973
鳥取の災害―水害―（郷土シリーズ36）　芦村登志雄　1992
新修島根県史 通史編近代　1967
島根県近代教育史　1978
浜田市史　1973
新修松江市史　1962
岡山市史　1920
岡山県の歴史　1962
岡山市史　1936～38
総社市史 通史編　1998
岡山の災害（岡山文庫142）　蓬郷巌　1989　日本文教出版
広島市史 4　1925
新修広島市史　1958～62
図説広島市史　1989
実録鞆小学校昔話　1993
岩国市史 下　1971
熊本市史　1927
磯之名所旧蹟　井上良吉　1931　鹿児島新聞社
ふるさとの思い出100 写真集・明治大正昭和・鹿児島　1980　国書刊行会
首里城入門 その建築と歴史（おきなわ文庫47）　首里城研究グループ編　1997
首里城 甦る琉球王国　海洋博覧会記念公園管理財団監修　1992
千葉県の歴史 資料編近現代4　1997
明治庭園記　小沢圭次郎　1915 『明治園芸史』所収　日本園芸研究会
大隈侯八十五年史　1926　大隈侯八十五年史編纂会

『各種写真』一覧

凡例 1　欄は、左より写真帖の写真番号、現在の県名、写真タイトル、寸法(単位: センチメートル)、本文写真掲載頁。
2　県名はすべて現在の行政区域によった。
3　タイトルは原則として、個々の写真に付されているものを記したが、若干は『和漢図書分類目録』に掲載されている目録から補足した。無記入のものは(　)内に適宜記した。
4　明治期の写真の寸法は、現在のような規格品でないため「同」としたものでも、数ミリ程度の異同がある。

第1帖　(表題なし)　53.5×75.0

1	岩手県	岩手県海嘯被害写真十二枚　釜石海嘯被害後ノ全景	7.5×10.1	
2	岩手県	同	同	
3	岩手県	釜石町石応寺境内ニ死屍ヲ収拾シタル図	同	
4	岩手県	釜石海嘯被害後尾崎神社ノ境内ノ図	同	
5	岩手県	釜石被害後ノ桟橋ヲ望ム	同	
6	岩手県	釜石被害後ノ桟橋ヲ望ム	同	
7	岩手県	大槌安渡海嘯被害地ノ全景	同	
8	岩手県	同	同	
9	岩手県	同	同	
10	岩手県	大槌海嘯被害地ヲ同稲荷社内ヨリ望ム	同	
11	岩手県	両石村海嘯被害後ノ景	同	
12	岩手県	ナシ	同	
13	宮城県	宮城県海嘯被害写真	9.2×13.5	p30
14	宮城県	同	同	
15	宮城県	同	同	
16	宮城県	同	同	p30
17	宮城県	同	同	
18	宮城県	同	同	p30
19	宮城県	同	同	
20	宮城県	同	同	p31
21	宮城県	同	同	p31
22	宮城県	同	同	p31
23	宮城県	同	同	
24	宮城県	同	同	
25	宮城県	同	同	
26	宮城県	同	同	
27	宮城県	同	同	
28	宮城県	同	同	
29	宮城県	同	同	
30	愛知県	岐阜県下震災写真　名古屋広小路	9.8×13.8	p259
31	愛知県	同　名古屋広小路	同	
32	愛知県	同　名古屋清水町	同	
33	愛知県	同	同	
34	愛知県	同　ビワシマ	同	
35	愛知県	同　清洲	同	
36	岐阜県	同　キタガワ	同	
37	岐阜県	同	同	
38	岐阜県	同　岐阜入口	同	
39	岐阜県	同　岐阜	同	
40	岐阜県	同　岐阜火事場	同	
41	岐阜県	同　カガ村港口	同	
42	岐阜県	同　長良川	同	
43	岐阜県	同　美江寺	同	p236
44	岐阜県	同　大堰ノロギフヨリ	同	
45	岐阜県	同　大堰火事場	同	
46	岐阜県	同　竹ゲ鼻入口□	同	
47	岐阜県	同　竹ゲ鼻出口□	同	
48	岐阜県	同	同	
49	岐阜県	同　長□	同	
50	岐阜県	同　加ノ市村	同	
51	岐阜県	岐阜県下震災写真	9.8×12.0	
52	岐阜県	同	同	
53	岐阜県	同	同	p236
54	愛知県	同　神戸駅震災写真　神戸駅宮町震災実況	10.7×13.9	p259
55	愛知県	同　神戸駅玉成高等尋常小学校震災実況	同	
56	愛知県	神戸駅鍛冶屋町震災実況	同	
57	愛知県	愛知県下震災地各村写真　北設楽郡三輪村	9.9×13.8	p254
58	愛知県	同　本郷村	同	
59	愛知県	同　振草村	同	p254
60	愛知県	同　御殿村	同	
61	愛知県	同　田口村	同	
62	静岡県	静岡県下遠江国笠井町風災被害ノ真景	5.9× 9.5	p253
63	静岡県	同	同	
64	静岡県	同	同	p253
65	静岡県	同	同	p253
66	静岡県	同	9.6× 6.1	p253
67	鳥取県	鳥取県下伯州汗入郡淀江町今津村火災之後景	9.8×13.7	p310
68	鳥取県	同	同	p310
69	鳥取県	同	同	p310
70	長崎県	長崎県高来郡口ノ津風水写真	同	p396
71	長崎県	同	同	
72	長崎県	同	同	
73	長崎県	同	同	p396
74	長崎県	同	同	
75	長崎県	同	同	
76	長崎県	同	9.7×14.7	
77	長崎県	同	同	
78	長崎県	同	同	
79	長崎県	同	同	
80	長崎県	同	同	p396
81	長崎県	同	同	
82	長崎県	同	同	
83	長崎県	同	同	
84	長崎県	同	9.7×13.6	
85	長崎県	同	9.7×14.0	p397
86	長崎県	同	同	
87	長崎県	同	同	p397
88	長崎県	同	同	
89	長崎県	同	同	p397
90	長崎県	同	同	
91	長崎県	同	同	
92	長崎県	同	同	
93	長崎県	明治二十六年長崎県高来郡風害写真	10.2×14.3	p398
94	長崎県	同	同	
95	長崎県	同	同	
96	長崎県	同	同	p398
97	長崎県	同	同	p398
98	長崎県	同	同	
99	長崎県	同	同	p399
100	長崎県	同	同	p399
101	長崎県	同	同	
102	鳥取県	明治二十六年十月鳥取県水害写真　八上郡明治村大字北村	10.0×14.0～15.0	p311
103	鳥取県	同　八上郡明治村大字北村	同	
104	鳥取県	同　日野郡宮内村大字三栄村	同	p311
105	鳥取県	同　日野郡江尾村大字江尾宿	同	p311
106	鳥取県	同　河村郡三橋村大字原村	同	
107	鳥取県	同　河村郡三橋村大字原村	同	
108	鳥取県	同　河村郡東郷村大字川上村	同	p312
109	鳥取県	同　河村郡竹田村大字久原村	同	p312
110	鳥取県	同　河村郡竹田村大字川上村	同	p312
111	鳥取県	同　久米郡倉吉町大字堺町	同	p313
112	鳥取県	同　久米郡小鴨村	同	p313
113	鳥取県	同　久米郡上小鴨村	同	p313

114 鳥取県 同 久米郡矢送村南谷村 同 p314

115 鳥取県 同 久米郡山守村大字今西村 同

116 鳥取県 同 八橋郡由良村大字由良宿 同 p314

117 鳥取県 同 八橋郡八橋村大字保村 同 p315

118 鳥取県 同 八橋郡古布庄村大字矢下村 同 p315

119 鳥取県 同 岩井郡浦富村字阪谷 同 p316

120 鳥取県 同 岩井郡牧谷村字日ノ谷 同 p316

121 鳥取県 同 岩井郡東村大字陸上村字竹ケ下 同 p316

122 鳥取県 同 高草郡豊実村大字下段 同 p317

123 鳥取県 同 高草郡穏治村大字上段字拝殿河原 同 p317

124 鳥取県 同 高草郡明治村大字小原村 同 p317

125 鳥取県 同 高草郡明治村大字河田村字安蔵 同 p318

126 鳥取県 同 高草郡岩坪村字坪尻 同 p318

127 鳥取県 同 気多郡鹿野村大字末用村字鬼入道 同 p319

128 鳥取県 同 気多郡鹿野村大字鹿野村古仏谷 同 p319

129 鳥取県 同 気多郡小鷲河村大字鷲峯村字猪ノ谷 同

130 鳥取県 同 気多郡瑞穂村大字宿村 同 p319

131 鳥取県 同 気多郡中郷村大字鳴滝村字神崎 同 p320

132 鳥取県 同 気多郡勝部村大字紙屋村 同 p320

133 鳥取県 同 気多郡勝部村大字八葉寺村 同 p320

134 鳥取県 同 汗入郡大山村大字佐摩村 同 p321

135 鳥取県 同 汗入郡大山村大字佐摩村 同 p321

136 鳥取県 同 会見郡法勝寺村大字鴨部村 10.5×15.3 p322

137 鳥取県 同 会見郡法勝寺村大字鴨部村 同 p322

138 鳥取県 同 会見郡尚徳村大字榎原村 同

139 鳥取県 同 会見郡尚徳村大字榎原村 同

140 鳥取県 同 会見郡右豊千村 同

141 鳥取県 同 会見郡右豊千村 同

142 鳥取県 同 会見郡県村大字福万村 同 p322

143 鳥取県 同 会見郡県村大字福万村 同

144 鳥取県 明治二十六年十月鳥取県伯耆国久米郡倉吉町水害写真 倉吉町大字瀬崎中央南側ヨリ東方ヲ望ム 7.6×10.5

145 鳥取県 同 倉吉町大字仲ノ町成徳尋常小学校前ヨリ倉吉警察署ヲ望ム 同 p323

146 鳥取県 同 倉吉町大字東仲町之図 同 p326

147 鳥取県 同 倉吉町大字瀬崎町裏ヨリ大字鍛治町一丁目裏ヲ望ム 同 p333

148 鳥取県 同 倉吉町大字堺町二丁目字枡形惨況 同 p325

149 鳥取県 同 倉吉町大字瀬崎町頭ヨリ同街道ヲ望ム 同 p332

150 鳥取県 同 倉吉町大字新町二丁目之図 同 p328

151 鳥取県 同 倉吉町大字瀬崎町中央 同 p330

152 鳥取県 同 倉吉町大字西岩倉町ヨリ大字東岩倉町ヲ望ム 同 p329

153 鳥取県 同 倉吉町大字西町尻ヨリ同西部ヲ望ム 同 p328

154 鳥取県 同 倉吉市大字鍛治町一丁目ヨリ大字越中町頭ヲ望ム 同 p334

155 鳥取県 同 倉吉町大字東岩倉町裏ヨリ大字新町町筋ヲ望ム 同 p329

156 鳥取県 同 倉吉町大字広瀬町頭ヨリ大字越中町ヲ望ム 同 p334

157 鳥取県 同 倉吉町大字仲ノ町下部ヨリ字広小路ヲ望ム 同 p324

158 鳥取県 同 倉吉町大字西仲町之図 同 p327

159 鳥取県 同 倉吉町大字西岩倉町中央ヨリ大字東岩倉町ヲ望ム 同 p329

160 鳥取県 同 倉吉町大字河原町堤上ヨリ同河原町筋ヲ望ム 同 p335

161 鳥取県 同 倉吉町大字荒神町之図 同 p330

162 鳥取県 同 倉吉町大字西町頭四辻ヨリ大字新町三丁目ヲ望ム 同 p328

163 鳥取県 同 倉吉町大字瀬崎町岩瀬橋上ヨリ玉川筋ヲ望ム 同 p332

164 鳥取県 同 倉吉町大字堺町字枡形ヨリ大字新町裏ヲ望ム 同 p325

165 鳥取県 同 倉吉町大字西岩倉町新道ヨリ大字福吉町ヲ望ム 同 p330

166 鳥取県 同 倉吉町大字堺町魚ノ棚頭ヨリ東町ヲ望ム 同 p325

167 鳥取県 同 倉吉町大字湊町頭ヨリ字神阪ヲ望ム 同 p335

168 鳥取県 同 倉吉町大字河原町ヨリ鍛冶町筋ヲ望ム 同 p335

169 鳥取県 同 倉吉町大字瀬崎町中央 同 p331

170 鳥取県 同 倉吉町大字堺町一丁目ヨリ枡形ヲ望ム 同 p324

171 鳥取県 同 倉吉町大字研屋町 同 p326

172 鳥取県 同 倉吉町大字仲ノ町長谷坂下ヨリ同町東部ヲ望ム 同 p324

173 鳥取県 同 倉吉町大字魚町中央ヨリ東仲町ヲ望ム 同 p326

174 鳥取県 同 堺町字枡形ヨリ堺町一丁目ヲ望ム 同

175 鳥取県 同 字妙現堰決潰所ヨリ倉吉町全市街ヲ望ム 同 p323

176 鳥取県 同 倉吉町大字瀬崎町頭北側ヨリ同南側ヲ望ム 同 p332

177 鳥取県 同 倉吉町大字鍛冶町一丁目ヨリ同二丁目ヲ望ム 同 p333

178 鳥取県 同 倉吉町大字鍛冶町一丁目尻ヨリ大字瀬崎町頭ヲ望ム 同 p333

179 鳥取県 同 大字西町裏ヨリ大字西仲町裏ヲ望ム 同 p327

180 鳥取県 同 字妙現堰決潰処ヨリ倉吉町全市街ヲ望ム 同

181 鳥取県 同 倉吉町大字瀬崎町中央 同 p331

182 岡山県 明治二十六年十月岡山県上房郡水害地写真六枚 岡山県上房郡高梁町大字鉄砲町北部 10.2×14.0 p342

183 岡山県 同 岡山県上房郡松山村字横町 同 p343

184 岡山県 同 岡山県上房郡津川村大字今津字地久ノ前 同 p343

185 岡山県 同 岡山県上房郡高梁町大字鉄砲町裏堤防破壊之図 同 p342

186 岡山県 同 岡山県上房郡松山村柳井重宣宅 同 p343

187 岡山県 同 岡山県上房郡高梁町大字弓之町南端 同

188 岡山県 明治二十六年十月岡山県下窪屋郡水害地写真十一枚 岡山県窪屋郡中洲村大字水江字桑村 10.7×15.2 p344

189 岡山県 同 岡山県窪屋郡中洲村大字水江字小水江 同 p344

190 岡山県 同 岡山県窪屋郡中洲村大字中島 同 p344

191 岡山県 同 岡山県窪屋郡中洲村大字中島堤 同 p345

192 岡山県 同 岡山県窪屋郡中洲村大字水江 同 p345

193 岡山県 同 岡山県窪屋郡中洲村大字中島 同 p346

194 岡山県 同 岡山県窪屋郡中洲村大字中島 同 p346

195 岡山県 同 岡山県窪屋郡清音村大字古地 同 p346

196 岡山県 同 岡山県窪屋郡清音村大字黒田 同 p347

197 岡山県 同 岡山県窪屋軍旗米村大字古地 同 p347

198 岡山県 同 岡山県窪屋郡常盤村大字中原 同 p347

199 岡山県 明治二十六年十月岡山県岡山市水害写真八枚 岡山市中出石町大切通り番町死人掘出シ 同 p348

200 岡山県 同 岡山市出石町 同 p350

201 岡山県 同 岡山市石関町切口 同 p350

202 岡山県 同 岡山市中出石町切口通り弓之町 同 p349

203 岡山県 同 岡山市中出石大切通番町 同 p348

204 岡山県 同 岡山市中出石町大切口 同 p349

205 岡山県 同 岡山市石関町切口 同 p350

206 岡山県 同 岡山市中出石町大切口通り二番町六番迄 同 p349

207 滋賀県 明治二十九年滋賀県風水害地写真二十五枚 蒲生郡八幡町洪水ノ状 10.2×14.9 p269

208 滋賀県 同 蒲生郡八幡町大字新町及池田町通浸水ノ状 同 p270

209 滋賀県 同 蒲生郡岡山村洪水ノ状 同 p270

210 滋賀県 同 八幡停車場浸水ノ状 同 p271

211 滋賀県 同 八幡停車場近傍鉄道線路ノ状 同 p271

212 滋賀県 同 蒲生郡安土村大字豊浦民家浸水ノ状 同 p272

213 滋賀県 同 栗太郡常盤村大字志邦村社三大神社 同 p272

214 滋賀県 同 栗太郡常盤村人家浸水後ノ状 同 p272

215 滋賀県 同 栗太郡常盤村民水中芋ヲ掘取ル状 同 p273

216 滋賀県 同 栗太郡常盤村民入浴ノ状 同 p273

217 滋賀県 同 栗太郡常盤村大字志那村宗源寺大破壊ノ状 同 p274

218 滋賀県 同 栗太郡常盤村藤田某家屋減水後ノ惨景

同 p274

219 滋賀県 同 栗太郡常盤村会議所附近破壊ノ状 同 p274

220 滋賀県 同 蒲生郡安土村繖山崩潰ノ状 其一 同 p275

221 滋賀県 同 其二 同 p275

222 滋賀県 同 蒲生郡金田村医師小野某家屋ノ状 同 p275

223 滋賀県 同 蒲生郡安土村佐々木神社鳥居破損 同 p276

224 滋賀県 同 野洲郡北里村大字江頭家屋浸水ノ状 同 p276

225 滋賀県 同 野洲郡北里村大字佐波江水中ノ人家 同 p276

226 滋賀県 同 野洲郡北里村村民日野川筋字仁保川堤防露宿ノ状 同 p277

227 滋賀県 同 野洲郡中洲村大字新庄ニ於ケル野洲川堤防破潰仮工事ノ状 同 p277

228 滋賀県 同 野洲郡中洲村人家減水後ノ惨景 其一 同 p277

229 滋賀県 同 其二 同 p278

230 滋賀県 同 野洲郡中洲村村民寺院仮住ノ状 同 p278

231 滋賀県 同 野洲郡中洲村大字吉川ノ災民堤防ニ露宿ノ状 同 p278

232 愛知県 震災後名古屋郵便電信局及名古屋電信建築署員事務取扱状況写真十五枚 名古屋郵便電信局電信課栄町巡査駐在所及其裏手小屋掛ケニ於テ執務ノ内部 10.4×14.6 p255

233 愛知県 同 名古屋郵便電信局崩壊ノ煉瓦石材ノ為メ破却セラレタル住吉町家屋ノ状 同 p256

234 愛知県 同 名古屋郵便電信局出納課聖徳寺本堂ニ於テ執務ノ外部 同 p256

235 愛知県 同 名古屋郵便電信局郵便課本務掛朝日神社境内ニ於テ執務ノ内部 同 p257

236 愛知県 同 名古屋郵便電信局郵便課本務掛朝日神社境内小屋掛ケ中ニ於テ執務ノ内部 同 p257

237 愛知県 同 電信建築署栄町通側空地小屋掛ニ於イテ執務ノ内部 同

238 愛知県 同 電信局物品聖徳寺本堂内ニ於テ保管ノ所 同

239 愛知県 同 名古屋郵便電信局電信課栄町巡査駐在所及某裏手小屋掛ケニ於テ執務ノ外部 同 p255

240 愛知県 同 名古屋郵便電信局郵便課逓送集配掛幷ニ出納課為替貯金掛聖徳寺園中小屋掛ケニ於テ執務ノ外部 同 p257

241 愛知県 同 名古屋郵便電信局電信課栄町巡査駐在所ニ於テ執務ノ内部 同 p255

242 愛知県 同 電信局郵便課逓送集配掛幷ニ出納課為替貯金掛聖徳寺園中小屋掛ケニ於テ執務ノ内部 同

243 愛知県 同 名古屋郵便電信局郵便課本務掛朝日神社境内小屋掛ケニ於テ執務ノ外部 同 p258

244 愛知県 同 名古屋電信建築署栄町通側空地小屋掛ケニ於テ執務ノ外部 同 p258

245 愛知県 同 名古屋郵便電信局郵便課本務掛朝日神社境内ニ於テ執務ノ外部 同 p258

246 愛知県 同 名古屋郵便電信局出納課聖徳寺本堂ニ於テ執務ノ内部 同 p256

247 新潟県 明治三十年新潟県中頸城郡高田町直江津町水害写真 10.2×14.0 p183

248 新潟県 同 同 p184

249 新潟県 同 同 p184

250 新潟県 同 10.2×15.2 p184

251 新潟県 同 10.2×13.8 p185

252 新潟県 同 10.5×13.5

253 新潟県 同 同

254 新潟県 同 10.0×13.5

255 新潟県 同 9.5×15.0 p185

256 新潟県 同 10.2×14.0 p185

257 新潟県 同 同

258 新潟県 同 同

259 新潟県 同 13.8×10.2 p185

260 鹿児島県 鹿児島県鎔山郡福元軍馬育成所馬ノ写真 波磐号 10.3×13.9

261 鹿児島県 同 浮萍号 同

262 鹿児島県 同 雄飛号 同

263 鹿児島県 同 芙蓉号 同

264 鹿児島県 同 真鶴号 同

265 奈良県 山城大和古寺院幷仏像写真 百枚 室生寺阿弥陀仏 14.5×9.7

266 奈良県 室生寺阿弥陀仏 同

267 奈良県 室生寺如意輪観音 同

268 奈良県 室生寺薬師如来 同

269 奈良県 室生寺文珠ヵ 同

270 奈良県 室生寺虚空蔵 同

271 奈良県 同像背面 同

272 奈良県 室生寺薬師十二神将 同

273 奈良県 同 同

274 奈良県 同 同

275 奈良県 同 同

276 奈良県 同（275と重複） 同

277 奈良県 同 同

278 奈良県 同 同

279 奈良県 同 同

280 奈良県 同 同

281 奈良県 同 同

282 奈良県 同 同

283 奈良県 同 同

284 奈良県 同 同

285 奈良県 室生寺青磁花瓶 同

286 奈良県 室生寺両界曼荼羅ノ檀 同

287 奈良県 室生寺本堂 同

288 奈良県 室生寺奥院大師堂 同

289 奈良県 室生寺護摩堂 同

290 奈良県 室生寺灌頂堂 同

291 奈良県 室生寺五重塔 同

292 奈良県 新薬師寺本尊 同 p304

293 奈良県 同 薬師十二神将 同 p307

294 奈良県 同（293の拡大） 同

295 奈良県 同 同 p306

296 奈良県 同 同 p306

297 奈良県 同 同 p305

298 奈良県 同（297の拡大） 同

299 奈良県 同 同 p305

300 奈良県 同 同 p305

301 奈良県 同 同 p307

302 奈良県 同 同 p306

303 奈良県 同 同 p304

304 奈良県 同 同 p305

305 奈良県 同 同 p307

306 奈良県 同 同 p304

307 奈良県 同（295の拡大） 同 p306

308 奈良県 薬師寺五重塔 同

309 奈良県 新薬師寺表門旧鐘楼堂 同 p303

310 奈良県 同 歓喜 同

311 奈良県 同 本尊香狭間ノ段 同

312 奈良県 同 大聖不動明王 二童子 同

313 奈良県 法隆寺南大門 同

314 奈良県 同 勅額門 同

315 奈良県 同 律学院堂 同

316 奈良県 同 金堂 同

317 奈良県 同 夢殿 同

318 奈良県 同 聖霊殿水ニ映ル図 同

319 奈良県 同 講堂 同

320 奈良県 同 六重塔 同

321 奈良県 同 太子堂以西眺望 同

322 奈良県 同 寺務所内試堂 同

323 奈良県 同 鐘楼 同

324 京都府 山城 浄瑠璃寺地蔵菩薩 同

325 京都府 同 大毘盧舎那仏 同

326 京都府 同 役行者 同

327 京都府 同 大聖不動明王 左制多伽童子 右矜羯羅童子 同

328 京都府 同 吉祥天 同

329 京都府 同 右側 同

330 京都府 同 左側 同

331 京都府 同 三重塔 同

332 京都府 同 下品上生ノ阿弥陀 同

333	奈良県	東大寺南大門　仁王ノ一	同	
334	奈良県	同　仁王	同	
335	奈良県	同　狛	同	
336	奈良県	同　狛	同	
337	奈良県	同　勅書十字ノ額	同	
338	奈良県	同　大仏殿前ノ灯籠扉	同	
339	奈良県	同　三月堂	同	
340	奈良県	同　四月堂	同	
341	奈良県	秋篠寺本堂	同	
342	奈良県	同　古仏像 不明	同	
343	奈良県	同	同	
344	奈良県	同　観音ヵ	同	
345	奈良県	同　天部ノ古像	同	
346	奈良県	同　右側面	同	
347	奈良県	当麻寺講堂	同	
348	奈良県	同　表門ヨリ曼荼羅堂眺望	同	
349	奈良県	同　曼荼羅堂	同	
350	奈良県	福地(智)院地蔵菩薩	同	
351	奈良県	同　左側面 小像 弘法大師	同	
352	奈良県	仏隆寺大師将来ノ茶臼	同	
353	奈良県	同　本堂	同	
354	奈良県	法起寺三重塔	同	
355	奈良県	矢田山金剛山寺	同	
356	奈良県	興福寺三重塔	同	
357	奈良県	手向山八幡神社狛	同	
358	奈良県	同	同	
359	奈良県	松尾寺本堂側面	同	
360	京都府	山城岩船寺舞楽獅子ノ古面	同	
361	京都府	同　下品上生ノ阿弥陀	同	
362	奈良県	般若寺の門	同	
363	奈良県	同　庫裏玄関	同	
364	奈良県	同　護永親王ノ大般若経唐櫃	同	
365	東京都	浅草公園十二階ノ写真	同	p149
366	福井県	福井県今立郡写真４枚（風水害写真）　今立郡池田村	10.5×13.69	
367	福井県	同	同	
368	福井県	同	同	
369	福井県	同	同	
370	徳島県	徳島県徳島市写真十七枚　戈田小字松の下	10.0×13.7	
371	徳島県	同　サイツ村村役場出張所	同	
372	徳島県	同　津田渡シ場	同	
373	徳島県	同　戈田高バシ南詰	同	p385
374	徳島県	同　戈田村小字フルマ	同	
375	徳島県	同　戈田高バシ北詰	同	p385
376	徳島県	同　戈田旧加島下屋敷	同	p386
377	徳島県	同　富田明神馬場	同	
378	徳島県	同　富田中園小字エゴ	同	
379	徳島県	同　中ソノ一家溺死	同	
380	徳島県	同　中ソノ煮売店ウラロ	同	
381	徳島県	同　富田中園南裏筋	同	
382	徳島県	同　冨田中園裏筋	同	
383	徳島県	同　住吉島バシ近傍	同	p386
384	徳島県	同　住吉島某氏居宅	同	p387
385	徳島県	同　徳島町堀川筋	同	p387
386	徳島県	同　徳島市役所	同	
387	東京都	小笠原島写真二十九枚　洲崎海岸ノ図	9.9×13.8	p164
388	東京都	同　洲崎ペルリ山ヨリ山羊山及同所レゾワ宅地ヲ見ル図	同	p165
389	東京都	同　北袋沢八ッ瀬橋ノ図	同	p165
390	東京都	同　母島北港ヲ横ニ見ル図	同	
391	東京都	同　母島沖村三橋ノ図	同	
392	東京都	同　母島北港人家ノ図	同	p168
393	東京都	同　母島沖村港口ノ図	同	
394	東京都	同　洲崎フロスパレゾワ宅地ノ図	同	p165
395	東京都	同　中山峠ヨリ羊山及三日月山、兄島ヲ見ル図	同	
396	東京都	同　三日月山ヨリ人丸島及瓢島兄島弟島ヲ見ル図	同	
397	東京都	同　鮹ノ木ノ図	同	
398	東京都	同　沖山勇松パインアップル畑ノ図	同	p168
399	東京都	同　小笠原島コッヘーノ木ノ図	同	
400	東京都	同　弟島測量ヶ嶽ヨリ北岬及北島ヲ見ル図	同	
401	東京都	同　母島沖村ワキハマ海岸ヲ横ニ見ル図	同	p168
402	東京都	同　三日月山ヨリ西島ヲ見ル図	同	
403	東京都	同　母島沖村ロース屋敷ノ図	同	p167
404	東京都	同　母島沖村海岸ヲ横ニ見ル図	同	
405	東京都	同　母島沖村北港ロノ図	同	
406	東京都	同　扇浦納涼山ヨリ三日月山及帽子岩要岩ヲ見ル図	同	
407	東京都	同　母島沖村東橋ヨリ鈴木小松ノ家ヲ見ル図	同	p167
408	東京都	同　母島沖村脇浜人家ノ図	同	p167
409	東京都	同　扇浦海岸ノ図	同	p164
410	東京都	同　長谷川常三郎蜜蜂ノ図	同	p166
411	東京都	同　扇浦納涼山ヨリ市中ヲ見ル図	同	
412	東京都	同　母島沖村出張所ノ図	同	p166
413	東京都	同　藤森碑ノ図	同	
414	東京都	同　母島北港ヨリ沖村道ノ穴見産ヨリ長浜ヲ見ルノ図	同	
415	東京都	同　宮ノ浜ノ図	同	
416	東京都	小笠原島写真二十一枚　宮ノ浜ノ山ヨリ兄島ヲ見ル図（３枚つなぎ）	9.9×40.7	
417	東京都	同　三日月山ヨリ湾中ヲ見ル図	同	
418	東京都	同　弟島測量ヶ嶽ヨリ兄島裏手及瓢島西島人丸島ヲ見ル図（２枚つなぎ）	9.9×27.2	
419	東京都	同　北袋沢梅田善八ノ后山ヨリ八ツ瀬川及常世滝ヲ見ル図	9.9×13.7	
420	東京都	同　其二	同	
421	東京都	同　其三	同	
422	東京都	同　弟島宮内平ヨリ測量ヶ嶽及ヒ宮内開墾地ヲ見ル図（２枚つなぎ）	9.8×27.3	
423	東京都	同　母島沖村人家ノ図	同	
424	東京都	同　弟島黒浜ヨリ石浜及野陣岳ヲ見ル図	同	
425	東京都	同　七曲ヨリ袋沢及長谷ヲ見ル図	9.9×13.7	
426	東京都	同　七曲ヨリ袋沢及長谷ヲ見ル図	同	
427	東京都	同　七曲ヨリ袋沢及長谷ヲ見ル図	同	
428	東京都	同　中山峠ヨリ南崎及南袋沢高山ヲ見ル図	同	
429	岐阜県	岐阜県下震災写真十枚	10.7×14.4	p237
430	岐阜県	同	同	p237
431	岐阜県	同	10.7×15.2	p238
432	岐阜県	同　大垣輪中大島村堤防震災破壊之図	10.7×14.2	p238
433	岐阜県	同　大垣輪中瀬古村堤防震災破壊之図	同	
434	岐阜県	同　墨俣駅中町本町震災後実況	同	p237
435	岐阜県	同　揖斐川上流新屋敷村堤防震災破壊之図	同	p238
436	岐阜県	同　揖斐川上流新屋敷村堤防震災破壊之図	同	
437	岐阜県	同　揖斐川上流新屋敷村堤防震災破壊之図	同	p239
438	岐阜県	同　揖斐川上流新屋敷村堤防震災破壊之図	同	
439	北海道	北海道写真五枚　明治二十四年九月五日膽振国幌別郡ニ於テ鉄道工事中大熊ヲ銃殺スルノ図	10.0×14.4	
440	北海道	室蘭港 仮桟橋ヨリ出張所及社宅ノ景	同	p17
441	北海道	同　エトスケレップ	同	p16
442	北海道	同　エトスケレップ	同	p16
443	北海道	北海道土人婦女和服着用ノ状	同	
444	北海道	根室氷海ノ写真 其一	10.2×15.8	
445	北海道	同　其二	同	
446	北海道	同　其三	同	
447	北海道	厚岸湖水生蠣之全景五枚（３枚つなぎ）	10.2×47.1	
448	北海道	同（２枚つなぎ）	10.2×31.2	
449	北海道	厚岸湖水蠣生島全景四枚 （４枚つなぎ）	10.2×62.7	
450	福岡県	元寇紀念碑建設起工式写真	10.7×13.7	p388
451	不明	河野久二子齢八十四年製糸写真	10.1×13.7	
452	東京都	参謀本部ニテ献上写真十三枚　参謀本部周辺	径 4.5	
453	東京都	同	同	

454	東京都	同	同	p129
455	東京都	同	同	
456	東京都	同	同	
457	東京都	同	同	
458	東京都	同	同	p129
459	東京都	同	同	
460	東京都	同	同	p129
461	東京都	同	同	
462	東京都	同	同	
463	東京都	同	同	
464	東京都	同	径13.8	
465	北海道	釧路国標茶監獄署全景	10.2×15.8	p5
466	不明	外国人肖像写真	14.7×10.2	
467	東京都	端艇競漕写真七枚 (水雷爆発の瞬間)	10.4×15.0	p156
468	東京都	同 (水雷爆発の瞬間)	11.3×10.4	p156
469	東京都	同 (端艇競漕)	10.4×15.0	p155
470	東京都	同	同	p154
471	東京都	同	同	p154
472	東京都	同	同	p155
473	東京都	同	同	p155
474	神奈川県	郡司大尉一行写真　出帆ノ図	9.9×13.6	p173
475	神奈川県	同	同	
476	神奈川県	同　出帆準備中	同	p172
477	神奈川県	同	同	
478	神奈川県	同	同	
479	神奈川県	同　出帆ノ図	同	p173
480	神奈川県	同　出帆ノ図	同	p173
481	神奈川県	同　一行ノ図 (一行の集合写真)	同	p172
482	神奈川県	同　一行ノ家族ノ図 (一行の家族集合写真)	同	p172
483	長崎県	諸港軍艦停泊写真十六枚　長崎港内魯艦「ブラジミールモナマウク」号并ニ帝国軍艦数艘春期皇霊祭三檣国旗ノ遠望	11.4×15.4	p392
484	香港	同　香港繫泊仏艦旗艦「トライアンファント」号	同	
485	長崎県	同　長崎港内軍艦高千穂紀元節ノ満艦飾	同	p392
486	長崎県	同　四月八日第一期防御艦隊各艦佐世保軍港内ニテ戦闘準備ノ位置　第一	同	p395
487	長崎県	同　第二	同	
488	長崎県	同　第三	同	
489	鹿児島県	同　第二期攻撃艦隊鹿児島湾内繫泊　第一	同	
490	鹿児島県	同　第二	同	
491	長崎県	同　海軍大演習前各艦長崎港内ニ集合ノ位置　第一	同	
492	長崎県	同　第二	同	
493	香港	香港九龍半島武庫并兵営遠望	同	
494	フィリピン	フィリピン群島マニラ港内土人使用ノカヌー船	同	
495	台湾	台湾澎湖島砲台ノ遠望　第一	同	
496	台湾	同　第二	同	
497	鹿児島県	岩崎谷故西郷隆盛公以下諸士隠蔽ノ巣窟	同	
498	鹿児島県	浄光明寺境内故西郷隆盛公以下諸士ノ墳墓	同	
499	不明	万里号、藤戸号仔馬写真七枚　万里号仔馬　一	10.1×13.8	
500	不明	同　二	同	
501	不明	同　三	同	
502	不明	藤戸号仔馬　一	同	
503	不明	同　二	同	
504	不明	同　三	同	
505	不明	同　四	同	
506	不明	文天祥書幅 (「忠」の字)	12.3× 5.8	
507	不明	同 (「孝」の字)	同	
508	千葉県	行徳鶴狩写真九枚　米田侍従屋形船首ニ立ツトコロ	10.0×15.1	
509	千葉県	山口主猟局長、股野書記官、広幡侍従堤上ニイム処	同	
510	千葉県	土方宮内大臣、片岡侍従、藤波主馬頭、広幡侍従中川堤上ニイム処	同	
511	千葉県	ナシ (屋形船に人物)	同	
512	千葉県	ナシ (鷹匠)	同	
513	千葉県	ナシ (風景)	同	
514	千葉県	ナシ (風景)	同	
515	千葉県	ナシ (鷹匠)	同	
516	千葉県	ナシ (風景)	同	
517	栃木県	日光御猟地実景二十六枚　三仏堂	10.1×14.7	p52
518	栃木県	同　大猷院廟	同	p54
519	栃木県	同　東照宮華表	同	p53
520	栃木県	同　大日堂	同	p54
521	栃木県	同　五重塔	10.1× 6.8	p53
522	栃木県	同　常宮、周宮両殿下御手栽ノ松	同	
523	栃木県	同　神橋	10.1×14.7	
524	栃木県	同　含満原西端ヨリ大日堂ヲ望ム処	同	p54
525	栃木県	同　含満ヶ淵	同	
526	栃木県	同　含満ヶ淵	同	p55
527	栃木県	同　社内高所ヨリ大谷川ノ清流ヲ望ム	同	
528	栃木県	同　獲物ヲ棹ニ懸ケタル処	同	
529	栃木県	同　其二	同	
530	栃木県	同　其三	同	p55
531	栃木県	同　小倉山ヨリ遠山ヲ望ム図	同	p56
532	栃木県	同　日光市街ノ高処ヨリ小倉山ヲ望ム図	同	p56
533	栃木県	同　小倉山中小憩ノ所	同	
534	栃木県	同　久知良原ノ先ナル一山ニ於テ野鶏ヲ連射シタル処	5.9× 8.5	
535	栃木県	同　上ニ云フ山ヲ踰ヘテ山腰ニ休憩スル処	同	
536	栃木県	同　含満原ニテ野鶏ヲ撃チタル処	同	
537	栃木県	同　含満原ニテ野鶏ヲ撃チタル処	同	
538	栃木県	同　含満原ヨリ前面ノ景　其一	10.1×14.0	
539	栃木県	同　其二	同	
540	栃木県	同　其三	同	
541	栃木県	同　其四	同	
542	栃木県	同　其五	同	
543	東京都	新宿御料地之景　九枚 (建物)	10.0×14.6	
544	東京都	同 (建物)	10.0×15.6	
545	東京都	同 (建物)	同	p141
546	東京都	同 (庭園)	同	p142
547	東京都	同 (檻)	同	
548	東京都	同 (庭園)	同	p141
549	東京都	同 (建物)	同	p141
550	東京都	同 (建物)	同	p142
551	東京都	同 (庭園)	同	
552	栃木県	明治二十九年春季日光猟之獲物	14.7×10.1	
553	栃木県	同	10.1×14.7	
554	栃木県	明治二十九年春季日光猟之諸図 (猟師)	5.9× 8.6	
555	栃木県	同 (猟師)	同	
556	栃木県	同 (風景)	同	
557	栃木県	同 (風景)	同	
558	栃木県	同 (風景)	同	
559	栃木県	同 (風景)	同	
560	栃木県	同 (風景)	同	
561	栃木県	同 (風景)	同	
562	栃木県	同 (風景)	同	
563	栃木県	同 (風景)	同	
564	栃木県	同 (風景)	3.8×5.6	
565	栃木県	同 (風景)	同	
566	栃木県	同 (猟師)	同	
567	栃木県	同 (風景)	同	
568	栃木県	同 (風景)	同	
569	栃木県	同 (風景)	同	
570	栃木県	同 (風景)	同	
571	栃木県	同 (風景)	同	
572	栃木県	同 (風景)	5.9× 8.6	
573	栃木県	同 (猟師)	同	
574	栃木県	同 (人力車)	同	
575	栃木県	同 (駅)	3.8× 5.6	
576	栃木県	同 (風景)	同	
577	東京都	江戸川筋御猟場鶴猟写真 (建物)	4.0× 5.7	
578	東京都	同 (川)	同	
579	東京都	同 (船と鷹匠)	5.9× 8.9	

580	東京都	同 （川）	同	
581	東京都	同 （川）	同	
582	東京都	同	同	
583	東京都	同	同	
584	東京都	同	同	
585	東京都	同	同	
586	東京都	同	同	
587	東京都	同 （下船の所）	同	
588	東京都	同	4.0× 5.7	
589	東京都	同	同	
590	東京都	同 （人物）	5.9× 8.9	
591	東京都	同	5.9× 8.4	
592	東京都	同	4.0× 5.7	
593	東京都	同	同	
594	東京都	同	5.9× 8.9	
595	東京都	同	同	
596	東京都	同	4.0× 5.7	
597	東京都	同	同	
598	東京都	同 （船）	同	
599	東京都	同	同	
600	東京都	同	5.9× 8.9	

第2帖　表題 「各地勝景写真」　36.5×49.5

1	不明	ナシ （風景）	21.7×28.0	
2	不明	ナシ （風景）	同	
3	不明	ナシ （風景）	同	
4	不明	ナシ （風景）	同	
5	不明	ナシ （外国人５人）	同	
6	京都府	天橋立之図 （２枚つなぎ）	17.5×42.6	p289
7	京都府	同 （２枚つなぎ）	同	p289
8	鳥取県	鳥取市街	10.2×14.0	p308
9	鳥取県	巴美法美岩井郡役所鳥取警察署	同	p309
10	島根県	松江之景　一	同	p341
11	島根県	同　二	同	p340
12	島根県	同　三	同	p341
13	島根県	同　四	同	p340
14	島根県	同　五	同	p340
15	島根県	松江医院 （３枚つなぎ）	12.2×39.0	p336
16	島根県	雲州松江福留村植物試験場 （２枚つなぎ）	11.7×25.5	p337
17	島根県	鵜峠銅山　一	14.0×20.0	p339
18	島根県	同　二	同	p339
19	島根県	柿本神社	11.2×9.0	p338
20	島根県	石見国一ノ宮物部神社	8.9×11.3	p338
21	島根県	浜田師範学校	13.7×19.1	p336
22	島根県	神道中教院	同	p337
23	韓国	朝鮮釜山浦草案日本人居留地　其一	18.3×26.7	
24	韓国	同　其二	同	
25	韓国	朝鮮咸鏡道日本居留条約之地　其一	同	
26	韓国	同　其二	同	
27	韓国	同　其三	同	
28	絵画	ナシ （６曲屏風） （２枚つなぎ）	20.5×42.5	
29	絵画	ナシ （６曲屏風）	同	
30	東京都	ナシ （御料馬）	19.2×23.5	
31	東京都	ナシ （御料馬車）	同	
32	東京都	ナシ （御料馬）	同	
33	東京都	ナシ （馬匹）	同	
34	東京都	ナシ （馬匹）	同	
35	東京都	ナシ （馬匹）	同	
36	東京都	ナシ （馬匹）	同	
37	東京都	ナシ （馬匹）	同	
38	東京都	ナシ （馬匹）	同	
39	東京都	ナシ （馬匹）	同	
40	東京都	ナシ （馬匹）	同	
41	東京都	ナシ （馬匹）	同	
42	東京都	ナシ （馬匹）	同	
43	山形県	最上郡角川橋	20.7×27.5	
44	山形県	同　船形工事図	同	p43
45	山形県	同　本合海渡船場	同	
46	山形県	同　船形本合海間	同	
47	山形県	同　猿羽根峠	同	
48	山形県	飽海郡松山神社	同	p39
49	山形県	同　三崎新道	同	
50	山形県	同　酒田遠景	同	
51	山形県	酒田琢成学校	同	p38
52	山形県	酒田之市街	同	p41
53	山形県	西田川郡鶴岡公園地	同	p39
54	山形県	同　朝暘学校	同	p37
55	山形県	同　三河(川)橋	同	
56	山形県	東田川郡後田開墾地	同	
57	山形県	同　東雲橋	同	
58	山形県	同　新堀渡	同	
59	山形県	同　後田開墾地	同	p39
60	山形県	清川之新道	同	
61	山形県	南村山郡千歳園	同	p41
62	山形県	朝暘学校側面	同	p37
63	山形県	鳥海山之遠景	同	
64	山形県	山形県招魂社	同	
65	長野県	水力機械及真田織器機	21.0×26.7	
66	長野県	屑糸機械	同	
67	東京都	靖国神社紀念碑	20.0×26.7	
68	大阪府	綿糖共進会表門	21.2×28.5	p295
69	大阪府	同　表門内	22.5×28.5	
70	大阪府	同　綿陳列室	同	
71	大阪府	同　陳列室	同	p296
72	大阪府	同　砂糖陳列室	同	p296
73	大阪府	同　参考品陳列室	同	
74	大阪府	同	同	
75	大阪府	同	同	
76	大阪府	同　参考品綿荷作見本	同	
77	大阪府	同	同	
78	大阪府	同　参考品綿打器械	同	
79	大阪府	同　褒賞授与式場	同	p295
80	兵庫県	ナシ （湊川神社）	22.0×27.9	p301
81	兵庫県	ナシ （湊川神社）	22.0×27.0	p301
82	不明	ナシ （湊川神社ヵ）	22.0×28.0	
83	宮城県	宮城集治檻正面之図	20.2×25.8	p29
84	宮城県	同	22.1×27.7	
85	不明	工事第一番、戸ノ口本川〆切枠及枠内目鏡橋十三個築造瀬割堤川底敷下水車ニテ水上螺器運転之図	10.5×15.5	
86	不明	同	同	
87	不明	同	同	
88	不明	工事第二番　山潟湾水揚ゲロ之図	同	
89	不明	同	同	
90	不明	同　山潟堀割之図	同	
91	不明	同	同	
92	不明	同　沼上隧道横穴之図	同	
93	不明	同　東口之図	同	
94	不明	工事第三番　ザラメキ溜池之図	同	
95	不明	同	同	
96	不明	工事第四番　玉川堰ヨリ用水揚ゲロノ図	同	
97	不明	同　玉川ヨリ用水揚ゲロノ図	同	
98	静岡県	同　熱海荒町堀割之図	同	
99	静岡県	同	同	
100	静岡県	同　熱海堀割之図	同	
101	静岡県	同　熱海荒町堀割之図	9.0× 5.7	
102	静岡県	熱海飲料用水仮掛樋ノ図	9.7×13.2	p247
103	静岡県	工事第五番　熱海上橋之図	10.6×15.7	
104	静岡県	熱海飲料水仮樋出口之図	8.9× 5.7	p247
105	静岡県	勧農局出張熱海工場之図	9.5×13.5	p247
106	不明	工事第六番　二番隧道北口之図	10.5×15.8	
107	不明	同　一番六番隧道之間堀割之図	同	
108	不明	同　五番隧道北口及堀割築土手之図	同	
109	不明	同　五番六番隧道間堀割及六番隧道北口之図	同	
110	不明	同　五番六番隧道間堀割之図	同	
111	不明	同　七番隧道北口之図	9.5×13.2	
112	宮城県	ナシ （仙台鎮台病院）	13.3×19.8	p27
113	宮城県	同	同	p28

114	宮城県	同	同	p28
115	福島県	福島県半田銀山	20.5×26.1	p45
116	福島県	同　陶汰器械	同	
117	北海道	札幌全図 其一	20.6×25.2	p13
118	北海道	同　其二	同	p12
119	北海道	同　其三	同	p13
120	北海道	同　其四	同	p12
121	北海道	同　其五	同	p11
122	北海道	同　其六	同	p11
123	千葉県	手賀沼	21.1×26.5	p114
124	千葉県	犬吠崎灯台	26.8×21.0	p117
125	千葉県	銚子港	20.5×25.7	
126	千葉県	同	同	
127	千葉県	同	同	p116
128	千葉県	官幣大社香取神宮	26.2×21.1	p115
129	千葉県	九十九里刑部崎	20.9×26.5	p118
130	千葉県	旧牧開墾地	同	p115
131	千葉県	野島崎灯台	同	p118
132	千葉県	犬吠崎灯台	同	p117
133	千葉県	九十九里太東崎	同	p118

第 3 帖　表題 「各種勝景写真帖」　36.7×50.0

1	石川県	能登国鹿島郡従妙観院御船山望七尾湾	21.1×26.4	
2	石川県	能登国鹿島郡従佐波村七島望小口海門	同	
3	石川県	ナシ （建物・集合写真）	同	p213
4	石川県	ナシ （福浦灯台）	同	p213
5	石川県	ナシ （海岸）	同	
6	石川県	ナシ （海岸）	同	
7	石川県	ナシ （福浦港）	同	p213
8	石川県	能登国鹿島郡従鵜浦村字鹿渡島望野崎村	同	p211
9	石川県	能登国鹿島郡従屛風崎望半浦村	同	
10	石川県	能登国鹿島郡従小丸山望阿杉崎	同	p211
11	石川県	能登国鹿島郡従田尻村□浜望別所嶽登外横見浦	同	p211
12	石川県	能登国鹿島郡従和倉村望温泉場幷弁天島	同	p212
13	石川県	能登国鹿島郡従須曽村屛風崎望大津湾	同	
14	石川県	能登国鹿島郡従久木村崎望大口海門	同	
15	石川県	能登国鹿島郡従小丸山望七尾街	同	p212
16	石川県	能登国鹿島郡従袖浦望妙観院御船山	同	p212
17	石川県	能登国鹿島郡従野崎村□□所望小口海門	同	
18	東京都	印刷局抄紙部 （建物）	24.0×29.1	p136
19	東京都	同 （建物）	同	p136
20	東京都	同 （抄紙機械）	同	p137
21	東京都	同	同	p137
22	東京都	同	同	p138
23	東京都	同 （手漉場）	同	p138
24	東京都	ナシ （常盤橋　着色）	24.2×29.1	口絵
25	東京都	ナシ （大隈重信邸　着色）	同	口絵
26	東京都	ナシ （大隈重信邸と庭園　着色）	同	口絵
27	東京都	ナシ （同　着色）	同	
28	東京都	ナシ （同　着色）	同	
29	東京都	ナシ （同　着色）	同	
30	東京都	ナシ （同　着色）	同	
31	東京都	皇居 （皇居吹上のつり橋）	20.0×24.8	p149
32	東京都	同 （吹上庭園ヵ）	同	
33	東京都	同	同	
34	東京都	同	同	
35	東京都	同	同	
36	東京都	同	同	
37	東京都	同	同	
38	東京都	同	同	
39	北海道	樺戸集治監	21.2×27.4	p4
40	北海道	同	同	p4
41	北海道	同	同	p5
42	不明	ナシ （庭園）	19.1×27.3	
43	不明	ナシ （庭園）	同	
44	群馬県	前橋曲輪町群馬県衛生所	20.3×26.2	p65
45	群馬県	甘楽郡後賀村稼穡之図	17.8×21.3	p79
46	群馬県	勢多郡八木原村人民家屋之図	18.4×21.5	p79
47	群馬県	甘楽郡中小坂村鉄鉱山	20.4×26.0	p78
48	群馬県	高崎ヨリ片岡郡観音山幷烏川之遠望	18.3×21.4	p81
49	群馬県	利根郡戸鹿野村戸鹿野橋	20.0×25.6	p80
50	群馬県	群馬郡上向(白)井村隧道	20.6×26.3	p80
51	群馬県	勢多郡八崎村之隧道	18.5×21.4	p81
52	群馬県	勢多郡大渡村勝山宗三郎製糸場	18.2×21.6	p73
53	群馬県	群馬郡伊香保村	20.2×26.3	p82
54	群馬県	群馬郡春名山湖	18.5×22.1	p82
55	群馬県	赤城山上之大沼	17.5×21.5	
56	群馬県	勢多郡赤城山箕輪牧場	18.7×21.6	p78
57	群馬県	緑野郡浄法寺村中畝根政太郎メカニック器械	同	p77
58	群馬県	山田郡桐生新町星野伝七郎和洋折衷機器械	同	p77
59	群馬県	勢多郡西大室村二子山ヨリ発掘之器物	同	
60	群馬県	勢多郡西大室村二子山	同	p83
61	群馬県	勢多郡東大室村二子山	同	p83
62	群馬県	利根郡岩本村岩本学校幷村民稼穡之図	同	p67
63	群馬県	利根郡岩本村岩本橋	同	p80
64	群馬県	勢多郡水沢(沼)村之遠望	同	p81
65	群馬県	同　星野長太郎製糸場	同	p73
66	群馬県	同　関根村関根製糸場	同	p74
67	群馬県	緑野郡新町駅官立屑糸紡績所	同	p73
68	群馬県	甘楽郡富岡町富岡製糸場 （内部）	同	p72
69	群馬県	同 （外景）	同	p71
70	群馬県	勢多郡長井小川田村横野学校	同	p67
71	群馬県	群馬郡上向(白)井村上向(白)井学校	同	p67
72	群馬県	甘楽郡入山村入山学校	同	p70
73	群馬県	佐波郡島村島村学校	同	p68
74	群馬県	多胡郡吉井村吉井学校	同	p70
75	群馬県	山田郡桐生新町桐生学校	同	p68
76	群馬県	佐波郡今井村今井学校	同	p68
77	群馬県	邑楽郡館林町館林西校	同	p69
78	群馬県	同　館林東校	同	p69
79	群馬県	山田郡大間々町大間々学校	同	p69
80	群馬県	群馬郡高崎駅高崎学校	同	p66
81	群馬県	群馬郡岩鼻町已決檻　囚人整列之図	同	p60
82	群馬県	同　懲職工場	同	p61
83	群馬県	同　女工場	同	p61
84	群馬県	群馬郡高崎駅第五大区区務所	同	p62
85	群馬県	群馬県師範学校	同	p64
86	群馬県	同	同	p64
87	群馬県	甘楽郡七日市町鏑川中学校	同	p65
88	群馬県	新田郡太田町太田警察署	同	p59
89	群馬県	群馬郡前橋曲輪町厩橋学校	同	p65
90	群馬県	群馬県前橋曲輪町(連雀町)桃井学校	同	p66
91	群馬県	前橋未決已決両檻	同	p61
92	群馬県	山田郡桐生新町桐生警察署	同	p59
93	群馬県	邑楽郡館林町館林警察署	同	p58
94	群馬県	群馬郡高崎駅高崎警察署	同	p60
95	群馬県	高崎営所	同	p58
96	群馬県	群馬郡前橋曲輪町第二勧業場	同	p62
97	群馬県	県庁之遠望	同	p57
98	群馬県	群馬県庁	同	p57
99	群馬県	勢多郡三夜沢村赤城神社	同	p85
100	群馬県	群馬郡春名山村榛山神社前景	同	p86
101	群馬県	榛名山榛名神社	同	p86
102	群馬県	甘楽郡妙義町妙義神社	同	p87
103	群馬県	甘楽郡妙義町妙義神社	同	p87
104	群馬県	勢多郡伊勢崎町石原製糸場	同	p75
105	群馬県	佐波郡島村養蚕室	同	p76
106	群馬県	楽(新)田郡太田町大光院	20.2×26.3	p88
107	群馬県	多胡郡池村多胡碑	18.2×21.6	p84
108	群馬県	楽(新)田郡世良田村長楽寺地中東照宮	同	p88
109	群馬県	群馬郡前橋曲輪町精糸原社	同	p74
110	群馬県	同　前橋町前橋生糸改所	同	p63
111	群馬県	甘楽郡一ノ宮町貫前神社	同	p84
112	群馬県	群馬郡前橋町生糸改所裏面	同	p63
113	群馬県	新田郡太田町金山新田神社御嶽神社	同	p88
114	群馬県	碓氷郡安中駅小林紋太郎製糸場	同	p76

115	群馬県	甘楽郡富岡町並塚直次郎製糸場	同	p75
116	群馬県	佐波郡伊勢崎町共研製糸会社	同	p74
117	群馬県	碓氷郡安中駅淡路豊太郎製糸場	同	p76
118	群馬県	勢多郡荻原村神山雄一郎製糸場	同	p75

第4帖　表題「各地勝景写真帖」　37.0×49.3

1	山梨県	甲府旧城之全景	19.0×24.2	p217
2	山梨県	武州小仏峠ヨリ相州津久井郡底沢村之山景	同	
3	三重県	勢州朝明郡朝明村松原及農家之景	同	p260
4	山梨県	甲府旧城内ヨリ北方武田信玄城跡之景	同	
5	山梨県	甲府花水坂ヨリ日野村之景	同	
6	岐阜県	濃州土岐郡山田村ヨリ和合橋之景	同	p235
7	岐阜県	美濃国土岐郡釜戸村ヨリ土岐川之景	同	
8	長野県	信州小魚立場ヨリ木曾川及神谷橋之景	同	
9	三重県	勢州朝明郡朝明村路傍人家之景	同	p261
10	滋賀県	藤房公旧跡　其一	10.7×15.9	p268
11	滋賀県	同　其二	同	p268
12	滋賀県	同　其三	同	p268
13	山梨県	甲府旧城之景	18.6×23.8	p218
14	山梨県	甲府旧城内之景	同	p218
15	山梨県	甲府旧城内葡萄酒製造所之景	19.2×22.9	p219
16	山梨県	ナシ（甲府城内ヵ）	19.4×23.1	p220
17	長野県	信濃国松本北安曇郡広津村山清路真景	20.5×25.9	
18	長野県	同　南安曇郡烏川村須佐登真景	同	
19	長野県	同　黒沢龍之真景	同	
20	長野県	同　東筑摩郡入山辺村大瀧之真景	同	
21	長野県	同　北安曇郡有明村天蚕養場之真景	同	
22	長野県	同　陸郷村白駒橋之真景	同	
23	長野県	松本裁判所	同	p221
24	長野県	信州塩尻峠ヨリ諏訪湖之真景	同	
25	長野県	信州神戸村ヨリ御嶽川正面之景	同	
26	滋賀県	大津鉄道	20.8×27.1	p266
27	京都府	京都療病院　其一	16.7×21.5	p286
28	京都府	同　其二	同	p286
29	京都府	同　其三	同	p287
30	山梨県	甲府猿橋之景	24.0×19.0	p220
31	山梨県	甲府竜王村ヨリ富嶽遠景	19.1×24.1	
32	長野県	信州神戸村ヨリ御嶽川及木曾川接所之景	同	
33	長野県	同　下流之景	同	
34	山梨県	甲府旧城ヨリ同府市街之遠景	同	p219
35	岐阜県	濃州土岐郡山田村和合橋頭ヨリ字蜂藪及峯山之遠景	同	
36	長野県	木曾桟橋遠景	同	
37	長野県	木曾桟橋之景	同	
38	山梨県	甲州笹子峠南方之景	同	
39	山梨県	武州小仏峠南坂ヨリ相州千木楼村之遠景	同	
40	山梨県	甲府行在所陳列品ノ内、武田信玄軍配団扇・同数珠・水晶玉一・木玉一・楯無シノ甲冑	同	
41	山梨県	同　武田信玄自筆ノ旗・同馬印・太刀・武田時代ノ桝	同	
42	山梨県	同　武田信玄之旗	同	
43	長野県	松本開智学校陳列品ノ内　木唐猫・山本勘助甲・神代鉾	同	
44	長野県	同　五鈴鏡・霊芝形石	同	
45	東京都	偕行社	20.8×26.0	p139
46	東京都	同	同	p139
47	石川県	金沢公園内明治記念標	同	
48	不明	ナシ	17.7×21.5	
49	不明	ナシ（48と同所）	同	
50	東京都	ナシ（上野公園第二回内国勧業博覧会会場　明治14年）	25.8×35.7	p158
51	東京都	同	同	p157
52	東京都	同（会場内部）	同	
53	東京都	同（帝国博物館旧本館）	同	p160
54	東京都	同（会場）	同	p159
55	東京都	同（会場）	同	p159
56	東京都	同（会場）	同	
57	東京都	同（会場正面）	同	p158
58	東京都	同（第一動物館）	同	p159
59	絵画	明治十四年観古美術会出品鯉魚之図以下二拾九枚　鯉魚図　頼菴筆　池田輝知蔵	17.5×21.0	
60	絵画	山水図屏風　周文筆　前田利嗣蔵	17.0×21.3	
61	絵画	鯉魚之図　円山応挙筆　伊達宗城蔵	同	
62	絵画	花卉画巻　椿山筆　山高信離蔵	同	
63	絵画	屏風　雪舟筆　前田利嗣蔵	同	
64	絵画	彩色人物之図　岩佐又兵衛筆　井伊直憲蔵	同	
65	絵画	同	同	
66	絵画	油絵屏風　司馬江漢筆　岩松善次郎蔵	同	
67	絵画	秋葵戯猫図　沈南蘋筆　永井善暉蔵	同	
68	絵画	三連幅　狩野永徳筆　松平定敬蔵	同	
69	絵画	豊太閤肖像　冨田左近将監筆　伊達宗城蔵	同	
70	絵画	観音之像　土佐光起筆　松永慈真蔵	同	
71	絵画	百老図横披　池無名筆　山内豊範蔵	同	
72	絵画	持剣文珠之図　啓□記筆　前田貫業蔵	同	
73	絵画	水鳥之図　圓山応挙筆　伊達宗城蔵	同	
74	絵画	松鶴之図　呂健筆　亀井茲監蔵	同	
75	絵画	一笑之図　沈南蘋筆　永井善暉蔵	同	
76	絵画	高雄山図屏風　景文筆　有栖川宮御蔵	同	
77	絵画	龍頭観音之像　僧秋月筆　内藤良順蔵	同	
78	絵画	霊昭女之像　蛇足筆　矢代於菟蔵	同	
79	器物	青磁広口花瓶　藤堂高義蔵	同	
80	器物	白磁大花瓶　肥前三河内焼　工商会社	同	
81	器物	水指　三河内焼　松浦銓所蔵	同	
82	器物	青磁皿　前田利嗣蔵	同	
83	器物	白磁香炉　肥前焼　工商会社	同	
84	器物	桃花玉水滴・藍玉花瓶・翡翠玉水注　池田章政蔵	同	
85	器物	碧玉銚　山内豊範蔵	同	
86	器物	密刻手箱　武田友月作　前田利嗣蔵	同	
87	器物	蒔絵手筐　徳川慶勝蔵	同	
88	カロリン諸島	クサイ島風景（カロリン群島中）	18.6×25.2	
89	京都府	桂宮御霊代鎮座神殿之図	17.5×21.4	
90	神奈川県	海門艦（進水式）	19.3×26.3	p169
91	神奈川県	海門艦進水後之写真	同	p170
92	福井県	越前福井藤島神社	21.0×27.3	p216
93	不明	ナシ（故長崎県令行島君之碑）	27.5×22.2	
94	絵画	ナシ（楠氏奮戦之図）	18.5×28.5	

第5帖　表題「各地勝景」　37.3×50.0

1	東京都	新宿御料地鴨場之図　第一	22.32×28.1	p143
2	東京都	同　第二	同	p143
3	東京都	同　第三	同	p143
4	東京都	同　第四	同	
5	東京都	同　第五	同	
6	東京都	新宿御猟場動物園之図	同	p142
7	ロシア	ナシ（馬車）	21.1×26.7	
8	ロシア	ナシ（宮殿クレムリンか　着色）	20.0×26.3	
9	ロシア	ナシ（同　着色）	同	
10	ロシア	露国王宮	21.9×26.7	
11	ロシア	市街	同	
12	清国	湖北省漢陽府漢陽県漢口鎮	17.4×21.7	
13	清国	同	同	
14	清国	江蘇省鎮江府	同	
15	清国	同　焦山	同	
16	清国	清国北京皇帝閲武場	同	
17	清国	山東省登州府福山県烟台港	同	
18	清国	旅順港口ヨリ港内ヲ望ムノ景	同	
19	清国	旅順港内白玉山ヨリ港ノ前面ヲ望ムノ景	同	
20	清国	同　東嶴ノ南岸	同	
21	清国	同　東嶴ノ北岸（2枚つなぎ）	16.3×40.5	
22	清国	同　南岸黄金山背後ヲ望ムノ景	17.6×21.8	
23	清国	同　港口ヨリ港内北西方ヲ望ムノ景	同	
24	清国	醇親王烟台巡閲ノ時護送ノ清国艦船	同	
25	清国	清国軍艦甲鉄砲塔艦鎮遠号	同	
26	清国	明治十八年醇親王海内巡閲ノ途次天津三叉河口水師中栄前ヲ経過スル図	同	

27	清国	直隷省天津府天津県白河南岸大枯水雷学堂	同	
28	清国	総理海軍事務醇親王奕環及護衛兵	同	
29	清国	明治十八年天津ニ於イテ総理海軍事務醇親王各営ヲ検閲スルノ図	同	
30	清国	同	同	
31	清国	同	同	
32	清国	督轅親軍前営砲隊	同	
33	清国	天津武備学堂学生捧銃奏楽之図	同	
34	清国	同　分隊縦隊ニ在テ行進ノ図	同	
35	清国	同　分列式ノ図	同	
36	清国	同　横隊ニ在テ膝姿射撃教練之図	同	
37	清国	同　散隊ト援隊トニ在テ伏姿射撃教練之図	同	
38	清国	総理海軍事務和碩醇親王及王子	21.2×17.2	
39	清国	総理海軍事務和碩醇親王奕環及王子	17.9×21.9	
40	清国	宗人府宗令惇親王・総理海軍事務醇親王	17.0×21.6	
41	清国	會弁海軍事務李鴻章・総理海軍事務醇親王・幇弁海軍事務善慶	同	
42	清国	丁汝昌・李鴻章・醇親王・善慶・中将ハミルトン	同	
43	清国	太子大伝文華殿大学士一等伯爵直隷総督北洋大臣會弁海軍事務李鴻章	同	
44	清国	仁字歩隊及通永練軍馬歩隊統領(駐在北塘)広東陸路提督唐仁廉	同	
45	清国	毅軍馬歩各営統領(駐在旅順)四川提督　宋慶	同	
46	清国	北洋木師統領直隷天津鎮総兵　丁汝昌	同	
47	清国	黄某、直隷候補道劉含芳、候補道羅豊禄、直隷天津道萬培因、直隷候補道袁保齢、江蘇候選道張翼、分守山東登萊青兵備道(駐在烟台)盛宣懐、直隷天津津海関道周馥、直隷天津府知府汪守正	同	
48	清国	天津清国官員	同	
49	清国	北洋水雷学堂教官及学生	同	
50	清国	天津水師学堂学生	同	
51	福島県	猪苗代町ヨリ大磐梯赤埴櫛ヶ峯諸山ヲ望ム景	24.6×20.6	
52	福島県	見禰村民家破壊ノ様　其一	20.7×26.4	p46
53	福島県	同　其二	同	p46
54	福島県	見禰山上ヨリ見禰村猪苗代町及猪苗代湖ヲ眺望スル図	同	
55	福島県	見禰山ヨリ渋谷村白木城長瀬川ヲ俯視スル図	同	
56	福島県	颶風渋谷村民家ヲ破壊セシ図	同	p46
57	福島県	渋谷村ヨリ赤埴山櫛ヶ峰ヲ望ム図	同	
58	福島県	颶風渋谷村ノ巨木ヲ破摧セシ図	同	p47
59	福島県	檜原細野雄澤秋元原等ノ諸村埋没ノ跡	同	
60	福島県	小磐梯山下字沼ノ平図	同	
61	福島県	磐梯中ノ湯温泉場破壊ノ跡	同	
62	福島県	丸森山樹林破摧之図　其一	同	
63	福島県	同　其二	同	
64	福島県	磐梯上ノ湯温泉場埋没ノ跡	同	p47
65	福島県	小磐梯山破裂跡ノ断崖	同	
66	福島県	小磐梯山半覆字大武ノ平岩石樹木壊崩断裂ノ様	同	
67	福島県	小磐梯山破裂地底ノ噴火口ヨリ蒸気ヲ噴騰スル様	同	p48
68	福島県	小磐梯山壊崩断崖大磐梯山ヘ接続之所及数ヶ所ノ噴火口	同	p48
69	福島県	小磐梯山壊崩地底温泉流出ノ様	同	p49
70	福島県	猪苗代町仮病院之図	同	p49
71	福島県	ナシ　(湯の湧出のところ？)	同	
72	岐阜県	(明治二十九年水害写真)　第一号　安八郡新屋敷村堤塘破壊所澪留ノ景	20.9×27.0	p239
73	岐阜県	同　第二号　安八郡落合村堤塘破壊所澪留ノ景	同	p240
74	岐阜県	同　第三号　安八郡瀬古村曾根村堤塘破壊之景	同	
75	岐阜県	同　第四号　家屋漂流跡ノ景	同	
76	岐阜県	同　第五号　安八郡北方村地内家屋漂流ノ景　其一	同	p240
77	岐阜県	同　第六号　安八郡北方村地内家屋漂流ノ景　其二	同	p240
78	岐阜県	同　第七号　安八郡林本郷村鉄道線路踏切以南ノ景	同	p241
79	岐阜県	同　第八号　南頬村家屋破壊ノ景	同	p241
80	岐阜県	同　第九号　大垣停車場前ノ景	同	p241
81	岐阜県	同　第十号　安八郡曾根村澪先万念寺前激流ノ景	同	
82	岐阜県	第一号　安八郡瀬古村曾根村破壊澪先潰家ノ景	10.7×16.0	p242
83	岐阜県	第二号　安八郡曾根村川本幸平等ノ親族数人ト共ニ漂流セシ家屋ノ現景	同	p242
84	岐阜県	第三号　安八郡中川村地内家屋漂流ノ景	同	p242
85	岐阜県	第四号　天守閣ヨリ大垣以南ヲ望ム景	同	p243
86	岐阜県	第五号　大垣停車場前ノ景	同	p243
87	岐阜県	第六号　大垣新地町潰家ノ景	同	p243
88	岐阜県	第七号　大垣市街接続寺内村潰家ノ景	同	p244
89	岐阜県	第八号　安八郡釜笛村民家浸水ノ景	同	p244
90	岐阜県	第九号　安八郡横曾根村ヨリ以北村落ヲ望ム景	同	p244
91	岐阜県	第十号　安八郡横曾根村堤塘窮民小屋掛ノ景　其一	同	p245
92	岐阜県	第十一号　安八郡横曾根村堤塘窮民小屋掛ノ景　其二	同	p245
93	岐阜県	第十二号　安八郡今福村乙澪ノ景	同	p245
94	岐阜県	第十三号　安八郡北方村地内ニオイテ曾根村内田利七樹木ニヨリ助命セシ現場	同	
95	不明	ナシ　(海岸風景)	13.3×19.4	
96	不明	ナシ　(和風建物)	同	
97	不明	ナシ　(同)	同	
98	不明	ナシ　(工場施設)	21.1×27.3	
99	不明	ナシ　(同)	同	
100	不明	ナシ　(トンネル)	20.3×27.3	
101	不明	ナシ　(川の護岸)	同	
102	不明	ナシ　(工場)	同	
103	長野県	長野県北安曇郡会染村七貴村ヘ侵入セシ暴水	21.2×27.9	p230
104	長野県	長野県北安曇郡会染村権現宮下〆切現場	同	p230
105	長野県	長野県北安曇郡会染村内鎌耕地被害ノ実況	同	p231
106	長野県	長野県北安曇郡会染村内鎌耕地内田中永吉宅流亡ノ跡	同	p231
107	長野県	長野県北安曇郡会染村四二〇番地那須角吉宅被害図	同	p232
108	長野県	長野県北安曇郡会染村内鎌耕地東部ノ景況	同	p232
109	長野県	長野県北安曇郡会染村四四八番地生田常一所有ノ倉庫ノ被害	同	p232
110	長野県	長野県北安曇郡会染村四四〇番地那須孫太郎居宅被害	同	p233
111	長野県	長野県北安曇郡七貴村小林惣太郎居宅流亡ノ跡	同	p233
112	長野県	長野県北安曇郡七貴村宮沢代藏居宅水害ノ景況	同	p233

第6帖　表題「各地勝景写真帖」　39.3×51.6

1	静岡県	天城山伐木十四枚続	27.8×34.5	p250
2	静岡県	同	同	p250
3	静岡県	同	同	p250
4	静岡県	同	同	
5	静岡県	同	同	
6	静岡県	同	同	p251
7	静岡県	同	同	
8	静岡県	同	同	
9	静岡県	同	同	p251
10	静岡県	同	同	p251
11	静岡県	同	同	p252
12	静岡県	同	同	p252
13	静岡県	同	同	p252
14	静岡県	同	同	

15	不明	ナシ（川と小屋）	15.0×20.4	
16	不明	ナシ（川辺）	同	
17	不明	ナシ（川辺）	同	
18	京都府	習(修)学院御茶屋　其一	20.5×26.3	p283
19	京都府	同　其二	同	
20	器物	ナシ	20.2×27.3	
21	器物	ナシ	同	
22	長崎県	長崎新大前軍団病院写真	21.2×27.3	p395
23	米国	米国百年博覧会写真　七葉ノ内	25.3×21.0	
24	米国	同	同	
25	米国	同	同	
26	米国	同	同	
27	米国	同	同	
28	米国	同	同	
29	米国	同	同	
30	米国	ナシ（鉄道鉄橋）	17.8×23.1	
31	米国	ナシ（川）	同	
32	米国	ナシ（滝）	同	
33	米国	ナシ（滝）	同	
34	米国	ナシ（滝）	同	
35	米国	ナシ（滝）	同	
36	神奈川県	横須賀造船所　共三（軍艦迅鯨進水式）	19.2×24.7	p171
37	神奈川県	同	同	
38	神奈川県	同	同	p171
39	東京都	上野教育博物館　十二枚	14.1×19.8	p119
40	東京都	同　学校模範室	同	p120
41	東京都	同　書籍室	同	p120
42	東京都	同　書画学及痴子盲唖人教授用具室	同	
43	東京都	同　理、化、天文学諸器具室	同	
44	東京都	同　教育家参考諸器具室	同	p120
45	東京都	同　比較解剖室	同	p121
46	東京都	同　金石化石及日本鳥類部	同	p121
47	東京都	同　外国動物室	同	
48	東京都	同　日本獣類	同	
49	東京都	同　外国獣類	同	p121
50	東京都	同　米国産野牛	同	
51	北海道	丸山　一号（札幌神社仮宮）	15.1×20.8	
52	北海道	札幌神社仮宮　二号	同	
53	北海道	札幌本村　三号	同	p14
54	北海道	本陣　四号	同	p3
55	北海道	仮庁　五号（開拓使）	同	p1
56	北海道	仮庁内ヨリ西北ノ方ヲ望ム　六号	同	p2
57	北海道	豊平川　七号	同	
58	北海道	同　八号	同	p14
59	北海道	平岸村　九号	同	p14
60	北海道	仮庁ヨリ東北ノ方ヲ眺ム　拾号	同	p2
61	北海道	丘珠村　十一号	同	p15
62	北海道	丘珠村ノ内　二枚ノ内　十二号	同	p15
63	北海道	小樽港ヨリ高嶋ヲ望ム　十三号	同	
64	北海道	篠路村　十四号	同	p15
65	北海道	石狩川　十五号	同	
66	北海道	箱館港　十六号	20.2×27.5	p16
67	北海道	箱館開拓支庁　十七号	同	p3
68	北海道	桔梗村御小休所ヨリ函館ヲ眺ムル図　十八号 (原題は69と逆)	同	p17
69	北海道	桔梗村御休所ノ景　十九号	同	
70	北海道	ナシ（工事風景）	同	
71	熊本県	熊本城　一号	18.1×21.6	p400
72	熊本県	賊兵六丁目河ヲ関留メ河水ヲ田畑ニ灌クノ図　二号	同	p401
73	熊本県	花岡山ヨリ本妙寺田畑出水ヲ望ムノ真景　三号	同	p402
74	熊本県	迎町ヨリ長六橋ヲ望ム景　四号	同	p401
75	熊本県	同　其二　五号	同	p401
76	熊本県	桑畑　六号	同	
77	熊本県	二本木賊本営之景　七号	同	p403
78	熊本県	花岡山ヨリ市中ノ兵火及ビ賊塁之真景　八号	同	p403
79	熊本県	花岡山ヨリ新町地方ノ眺望　九号	同	p403
80	熊本県	花岡山ヨリ古町方角焼跡ヲ望ムノ景　十号	同	p404

81	熊本県	本妙寺ヨリ田畑出水ヲ望ムノ真景　其一　十一号	同	
82	熊本県	同　其二　十二号	同	
83	熊本県	同　其三　十三号	同	
84	熊本県	祇園社ヨリ北岡出水ヲ望ム真景　其一　十四号	同	p402
85	熊本県	同　其二　十五号	同	p402
86	熊本県	新屋敷焼跡之景　十六号	同	p405
87	熊本県	北岡ヨリ藤崎ヲ望ム景　其一　十七号	同	p405
88	熊本県	同　其二　十八号	同	p404
89	広島県	宮島波止場	16.0×20.8	p373
90	広島県	宮島大鳥居	同	p369
91	広島県	宮島本社	同	p370
92	広島県	宮島能舞台	同	p371
93	広島県	宮島千畳舗	同	p374
94	広島県	広島花畑（厳島神社の誤り）	同	p371
95	広島県	広島鎮台	同	p354
96	東京都	学習院	21.2×26.8	p126
97	東京都	学習院	同	p126
98	東京都	学習院	同	p127
99	石川県	石椎（石川県能登出土）	27.5×41.2	
100	京都府	祐井　中山家邸内ニ在	18.0×21.2	p284
101	京都府	祐井碑文	同	
102	京都府	御田植	17.7×20.7	
103	京都府	錦流亭	17.4×21.0	p283
104	京都府	県井戸	同	p281
105	不明	ナシ（碑の拓本）	26.7×11.8	
106	東京都	工部大学校	19.9×27.0	p127
107	東京都	同	同	p128
108	東京都	同	同	p128
109	新潟県	佐渡ノ国相川鉱山分局製鉱所之図	19.0×22.8	p179
110	新潟県	同　其二	同	p178
111	埼玉県	埼玉県庁浦和裁判所	9.1×13.0	p89
112	埼玉県	埼玉県立学校	同	p90
113	埼玉県	埼玉郡忍ノ東照宮	同	p91
114	埼玉県	同　岩槻城墟ノ遠景	同	p92
115	埼玉県	同　埼玉村小埼池	同	p93
116	埼玉県	葛飾郡幸手行幸堤側面之図	同	p93
117	埼玉県	同　宝珠花渡ロノ景	同	p93
118	埼玉県	同　松伏溜井関枠之景	同	p95
119	埼玉県	同　新宿新田桃林之景	同	p94
120	埼玉県	足立郡大宮氷川神社之景	同	p96
121	埼玉県	同　瓦葺村掛樋之遠景	同	p95
122	埼玉県	同　戸田橋之景	同	p100
123	埼玉県	横見郡玉鉾山之景	同	p101
124	埼玉県	入間郡黒須村元弘古戦場遠景	同	p102
125	埼玉県	同　狭山会社製茶場遠景	同	p103
126	埼玉県	同　仙波東照宮ノ図	同	p91
127	埼玉県	同　狭山茶園之図	同	p103
128	埼玉県	秩父郡三峯村民家之図	同	p105
129	埼玉県	同　武甲山之遠眺	同	p106
130	埼玉県	同　大宮郷ヨリ武甲山ヲ遠眺	同	p106
131	埼玉県	同　三峯山本社之景（秩父神社の誤り）	同	p107
132	埼玉県	同　秩父神社ヲ望図	同	p107
133	埼玉県	男食郡藤田村象ケ鼻ノ景	同	p92
134	埼玉県	同　鉢形城墟之景	同	p92
135	埼玉県	大里郡熊谷駅本町之景	同	p111
136	埼玉県	榛沢郡中瀬村利根川土出ノ景	同	p94
137	埼玉県	同　深谷駅稲荷町之景	同	p112
138	埼玉県	同　中瀬村利根川渡江ノ遠景	同	p94
139	埼玉県	賀美郡勅使河原古戦場之遠望	同	p102
140	埼玉県	播羅郡三ヶ尻村狭山之図	同	p101
141	埼玉県	同　目沼聖天之図	同	p97
142	埼玉県	同　江袋溜井之図	同	p95
143	埼玉県	比企郡小川製紙場之図	同	p104
144	埼玉県	同　巌殿大悲閣之図	同	p97
145	埼玉県	新座郡野火留平林寺之図	同	p98
146	埼玉県	児玉郡児玉町久米六右衛門蚕室之図	同	p104
147	埼玉県	同　児玉町之景	同	p105
148	埼玉県	同　金鑚神社華表之図	同	p98

149	埼玉県	同　身馴川之景	同	p113
150	埼玉県	同　本庄駅之景	同	p112
151	埼玉県	同　金鑚山一条院之景	同	p99
152	埼玉県	高麗郡上広瀬村製紙場之景	同	p104
153	埼玉県	同　高麗寺之景	同	p99
154	埼玉県	同　飯能町之景	同	p113

第７帖　表題「各地景勝写真」　46.5×61.5

1	米国	ルシヤンヒル(丘ノ名)ヨリ桑港ヲ望ム景	23.8×33.2	
2	米国	エンジル、アルカトレイ両島之図	20.3×30.6	
3	米国	桑港街之図	20.5×28.1	
4	米国	桑港之図	20.5×27.6	
5	米国	ゴールヅンゲトト(湾ノ名)中ニアルカトレイ島ヲ眺ムル景	同	
6	米国	パレース旅館之図	20.3×30.6	
7	米国	サンフランシスコゴールヅルゲート公園之図	同	
8	米国	サンフランシスコ於ケルコールヅンゲートノ天司台	同	
9	米国	サンフランシスコ近傍ニ於ケルクリップハウス(巌ヲ刻ンデ造リタル家)並ビニシールロック(容ナ海豹ニ似タルヲ以テ岩ニコノ名ヲ付セリ)之図	同	
10	米国	カルホルニア州モンテレイニ於ケルホテルモンテ(旅館ノ名)之図	同	
11	米国	マリボサトレイルヨリヨーセマイトノ渓谷ヲ望ム美景	同	
12	米国	カルホルニア州ヨーセマイトニ於ケルブリダルベイルフォール(瀑名)之景	同	
13	米国	同　カセドラル岩山ノ景	同	
14	米国	同　ケヒテン山ノ景	同	
15	米国	同　三人兄弟(但シ山名)之景	同	
16	米国	同　カムプグローブ(但シ林ノ名)之景	同	
17	米国	ブロデリッキ山、ネババタ瀑	同	
18	米国	カルホルニア州ヨーセマイトニ於ケルノースドームノ景	同	
19	米国	同　アッパーブリッジ近傍ノ河景	同	
20	米国	同　ヴルナル瀑ノ景	同	
21	米国	同　北ドーム山ノ景	同	
22	米国	ローワーヨーセマイトフォール(但シ瀑布ノ名)	同	
23	米国	ヨーセマイスフォル(瀑布ノ名)射景	同	
24	米国	ヨーセマイスフォル(瀑布ノ名)射ノ景	同	
25	米国	カルホルニア州ヨーセマイトニ於ケルロームスノ景	同	
26	米国	同　ローヤルアーチスノ景	同	
27	米国	同　山中氷原ノ景	同	
28	米国	同　ワシントンコルムス山ノ景	同	
29	米国	同　鏡湖ノ景	同	
30	米国	カルホルニア州ベルナル、ネバーダ両瀑間ニ在ル瀑布	同	
31	米国	同　マルボサ林中ニ生ズル灰色樹ノ一部分	同	
32	米国	ミルスト河上ノ景	同	
33	米国	デッドジャイアントノ写真	同	
34	米国	ネバータ州北ブルームヒールド水力堀礦ノ図	同	
35	米国	ナヤガル釣橋	34.0×41.5	
36	米国	米国領之瀑	同	
37	米国	カナダ領ノ瀑	同	
38	米国	同	同	
39	米国	ナヤガル之景	同	
40	米国	同地冬之景	同	
41	米国	サンフランシスコ街ニ於ケルテムプルフロック之図	20.6×25.5	
42	米国	ウター(米国ノ地名)ウエバーカノンの景色	20.4×30.3	
43	新潟県	北陸道越後国(自市振駅至青海駅)新道開鑿之真景　一号字親不知	22.2×17.4	p182
44	新潟県	同　二号字籠岩隧道西口	同	p182
45	新潟県	同　三号字籠岩隧道東口	同	p182
46	新潟県	同　四号字孫右衛門岩	同	p182
47	新潟県	同　五号字椿藪ノ内竪岩	同	
48	新潟県	同　六号字駒返シ	同	p182
49	新潟県	同　七号字洞河	同	
50	新潟県	同　八号字長走	同	p183
51	新潟県	同　九号字落水切割	同	
52	新潟県	北陸道越後国(自市振駅至青海駅)新道開鑿之真景　字親不知	同	
53	新潟県	同　二号字籠岩隧道西口　字籠岩隧道西口	同	
54	新潟県	同　三号字籠岩隧道東口	同	
55	新潟県	同　四号字孫右衛門岩	同	
56	新潟県	同　五号字椿藪ノ内竪岩	同	
57	新潟県	同　六号字駒返シ	同	
58	新潟県	同　七号字洞河	同	
59	新潟県	同　八号字長走	同	
60	新潟県	同　九号字落水切割	同	
61	新潟県	北陸道越後国字親不知海岸之景	同	
62	埼玉県	秩父第一号	21.6×27.4	p108
63	埼玉県	同　第二号	同	p108
64	埼玉県	同　第三号	同	p108
65	埼玉県	同　第四号	同	p109
66	埼玉県	同　第五号	同	p109
67	埼玉県	同　第六号	同	p109
68	埼玉県	同　第七号	同	p110
69	埼玉県	同　第八号	同	p110
70	埼玉県	同　第九号	同	p110
71	不明	ナシ（「明治記念標」とある塔）	27.2×21.2	
72	不明	ナシ	21.0×26.7	
73	不明	ナシ	21.6×27.5	
74	不明	ナシ　（「軍人軍属合葬之碑」とある石碑　72・73と同所か）	21.4×27.4	
75	兵庫県	姫路城南表面之図	15.7×20.9	
76	兵庫県	姫路城東表面之図	同	p297
77	兵庫県	姫路城北表面之図	同	p298
78	兵庫県	但馬国玄武洞	9.5×12.5	p302
79	兵庫県	同	同	p302
80	兵庫県	同	同	p302
81	兵庫県	同	同	
82	兵庫県	生野銀山之図	10.5×13.2	p299
83	山口県	岩国義済堂之図	同	p383
84	東京都	明治十七年三月十日延遼館ニ於テ角力天覧之図	21.0×26.5	p140
85	広島県	広島県庁之図	21.0×27.2	p351
86	広島県	広島鎮台之図	同	p354
87	広島県	広島県中学校師範学校之図	同	p353
88	広島県	広島県仮病院並ニ附属医学校之図	同	p352
89	広島県	広島県病院附属地之図	同	p352
90	広島県	厳島神社之図　(全景)	同	
91	広島県	同　(鳥居)	同	
92	広島県	厳島千畳閣之図	同	
93	広島県	厳島楓渓之図	同	p375
94	広島県	広島区公園地内県社饒津神社之図	同	p357
95	広島県	浅野長勲掛持屋敷庭中之図	同	
96	広島県	広島市中元安橋之図	同	p356
97	広島県	広島市猫屋橋之図	同	p356
98	広島県	広島市相生橋之図	同	p356
99	広島県	ナシ　(二葉山から広島城方面を望む)　(４枚つなぎ)	25.1×113.2	p362
100	広島県	ナシ　(橋梁工事写真)	21.5×27.2	
101	山口県	ナシ　(錦帯橋)	21.7×27.7	p384
102	広島県	ナシ　(厳島神社)　(３枚つなぎ)	25.1×87.3	p372
103	広島県	ナシ　(厳島神社)	21.5×27.2	p370
104	東京都	ナシ　(御料客車)	39.0×47.7	
105	東京都	ナシ　(上等客車)	同	
106	東京都	ナシ　(下等客車)	同	
107	三重県	別格官幣社　結城神社	21.0×26.0	p262
108	三重県	同	同	p262
109	東京都	陸軍士官学校全図	楕円40.5×53.2	p131

110	東京都	ナシ（陸軍士官学校）	同	p130
111	東京都	同	同	p130
112	東京都	同	同	p131
113	神奈川県	ナシ（横浜山手公園演奏会場における陸軍教導団楽隊着色）	23.2×28.8	口絵

第８帖　表題「各種写真」　36.1×48.5

1	福岡県	官幣大社香椎宮　拝殿正面	10.0×14.3	p388
2	福岡県	同　其二　御本殿側面及透塀	同	
3	福岡県	同　其三　南大門	同	p389
4	福岡県	同　其四　楼門	同	p390
5	福岡県	同　其五　御神木綾杉	同	p390
6	宮崎県	日向国々幣小社都農神社	13.7×19.5	p408
7	宮崎県	同　其二	同	p409
8	宮崎県	同　其三	同	p409
9	宮崎県	同　其四	同	
10	宮崎県	同　其五	同	
11	三重県	伊勢山田神苑会農業館	21.0×26.8	p263
12	不明	野見宿禰墳墓地	23.7×30.3	
13	三重県	故神宮禰宜足代弘訓碑石	23.0×29.0	p263
14	東京都	帝国図書館	27.0×40.5	p122
15	東京都	同　其二	24.5×31.0	p122
16	東京都	同　其三	23.8×30.5	p122
17	三重県	三重県三重郡四郷村伊藤小左衛門製糸場内景	32.0×26.5	p264
18	三重県	同　其二	同	p264
19	静岡県	静岡御料局支庁管下御料地	20.8×27.0	p249
20	静岡県	同　其二	20.5×27.0	p249
21	静岡県	同　其三	20.0×26.5	
22	静岡県	同　其四	同	
23	静岡県	同　其五	同	
24	静岡県	同　其六	同	
25	静岡県	同　其七	同	
26	静岡県	同　其八	同	
27	静岡県	同　其九	同	
28	東京都	明治三十六年一月第五回内国勧業博覧会出品女子職業学校生徒製作品	21.0×26.3	p161
29	東京都	同　其二	同	p161
30	東京都	同　其三	同	
31	東京都	同　其四	同	
32	東京都	女子職業学校ニ於テ聖路易博覧会出品製作	22.5×29.0	p161
33	東京都	同　其二	同	p162
34	東京都	同　其三	同	p162
35	東京都	同　其四	同	p162
36	東京都	同　其五	同	p163
37	器物	菊小鳥模様螺鈿入御書棚	21.7×28.0	
38	器物	同　其二	同	
39	器物	同　其三	同	
40	器物	同　其四	同	
41	器物	同　其五	同	
42	器物	同　其六	同	
43	東京都	新調御召汽車	22.7×29.2	
44	東京都	同　其二	同	
45	東京都	同　其三	同	
46	東京都	中央幼年学校	28.2×39.0	p132
47	東京都	同　其二	21.3×27.2	
48	東京都	同　其三	21.5×26.0	
49	東京都	同　其四	同	
50	東京都	同　其五	同	
51	東京都	同　其六	同	p134
52	東京都	同　其七	同	p132
53	東京都	同　其八	同	p133
54	東京都	同　其九	同	p133
55	東京都	同　其十	同	p133
56	東京都	同　其十一	同	p134
57	東京都	同　其十二	同	

第９帖　表題「各種写真」　36.4×50.0

1	絵画	狩野守貴	17.7×12.8
2	絵画	田崎　芸	同
3	絵画	橋本雅邦	同
4	絵画	森寛斎	同
5	絵画	川端玉章	同
6	絵画	田能村小虎	同
7	絵画	今尾景年	同
8	絵画	菊池常次郎	同
9	絵画	帆山唯念	同
10	絵画	森川曽文	同
11	絵画	吉沢雪菴	同
12	絵画	平野聞恵	同
13	絵画	野村文挙	同
14	絵画	村瀬玉田	同
15	絵画	谷口貞二	同
16	絵画	遠藤貫周	同
17	絵画	川村応心	同
18	絵画	鈴木瑞彦	同
19	絵画	鈴木百年	同
20	絵画	原　在泉	同
21	絵画	佐竹永湖	同
22	絵画	中西耕石	同
23	絵画	川邊御楯	同
24	絵画	狩野応信	同
25	絵画	中野其明	同
26	絵画	久保田米仙	同
27	絵画	守住貫魚	同
28	絵画	渡邉諧	同
29	絵画	中井恒次郎	同
30	絵画	守住貫魚	同
31	絵画	守住貫魚	同
32	絵画	川邊御楯　西征将軍ヲ奉リテ菊池武光大ニ筑後川ニ戦フ図	同
33	絵画	山名貫義	同
34	絵画	橋本雅邦	同
35	絵画	狩野永悳	同
36	絵画	狩野守貴	同
37	絵画	瀧　和亭	同
38	絵画	野口巳之助	同
39	絵画	大庭学仙	同
40	絵画	田能村小虎	同
41	絵画	久保田米仙	同
42	絵画	田崎　芸	同
43	絵画	幸野楳嶺	同
44	絵画	鈴木百年	同
45	絵画	中野其明	同
46	絵画	前田貫業	同
47	絵画	遠藤貫周	同
48	絵画	原　在泉	同
49	絵画	巨勢金起	同
50	絵画	狩野晏川	同
51	絵画	狩野昭信	同
52	絵画	鶴澤守保	同
53	絵画	樋口守保	同
54	絵画	秋元政之助	同
55	絵画	川村応心	同
56	絵画	吉沢雪莽	同
57	絵画	藤田　憲	同
58	絵画	荒木梅隠斎	同
59	絵画	荒木寛畝	同
60	絵画	佐竹永湖	同
61	絵画	池田雲樵	同
62	絵画	岸　竹堂	同
63	絵画	重　春塘	同
64	絵画	十市王洋	同
65	絵画	橋本直義	同
66	絵画	岡本保三郎	同

67	絵画	中井恒次郎	同	
68	絵画	川端玉章	同	
69	絵画	熊谷直彦	同	
70	絵画	柴田順蔵	同	
71	絵画	村瀬玉田	同	
72	絵画	菊池常次郎	同	
73	絵画	望月玉泉	同	
74	絵画	今尾景年	同	
75	絵画	鈴木百僊	同	
76	絵画	菅原白龍	同	
77	絵画	英国人　ゼー・コンデル	同	
78	東京都	有栖川宮邸表門	21.7×27.5	p123
79	東京都	同　正面	21.5×27.0	p124
80	東京都	同　正面	22.2×26.5	p123
81	東京都	同　正面入口	27.3×22.3	p124
82	東京都	同　南面	21.5×27.3	p125
83	東京都	同　会食堂	22.2×27.6	p125
84	東京都	同　客室	27.3×21.7	
85	東京都	同　会食堂	27.5×22.2	
86	東京都	同　会食堂南面	27.5×22.5	
87	東京都	同　舞踏室東南面	21.1×26.5	p125
88	東京都	同　舞踏室正面	27.3×22.0	
89	東京都	同　舞踏室正面柱之図	27.0×21.9	
90	栃木県	栃木県庁正面之図　宇都宮	21.3×27.3	p50
91	栃木県	栃木県庁東官舎裏ヨリ斜面ニ見タル景	21.7×27.5	p51
92	栃木県	栃木県庁門外東方ヨリ斜面ニ見タル景	21.7×27.0	p51
93	栃木県	日光神橋　一名山菅蛇橋	同	p56
94	栃木県	同　大猷院唐門	同	
95	栃木県	同　想輪堂	同	
96	栃木県	同　大猷院仁王門	同	
97	栃木県	同　二天門	21.5×27.3	
98	栃木県	同　夜叉門	20.9×27.0	
99	栃木県	同　五重塔	27.0×21.5	
100	栃木県	同　東照宮表門	21.0×27.0	
101	栃木県	同　水屋弁輪蔵	21.3×27.0	
102	栃木県	同　鼓楼	同	
103	栃木県	同　陽明門	21.3×27.3	
104	栃木県	同　神輿舎	同	
105	栃木県	同　神楽所弁社務所　旧護摩堂	同	
106	栃木県	同　本社拝殿弁唐門	同	
107	栃木県	同　奥社	21.5×27.3	
108	北海道	幌内鉄道 神威古潭線路之図	21.4×27.3	p8
109	北海道	幌内炭山之図 第一本坑沢ヲ望ム	同	p10
110	北海道	幌内鉄道 札幌招魂碑前線路之図	同	p6
111	北海道	同　幌内炭山ヨリ第六隧道ヲ望ム図	同	p10
112	北海道	手宮鉄道桟橋之図　第一	同	p9
113	北海道	幌内鉄道 勝納川橋梁之図	同	p7
114	北海道	同　幌内太停車場構内之図	同	p9
115	北海道	手宮鉄道桟橋之図　第二	同	p9
116	北海道	幌内鉄道 札幌停車場之図	同	p6
117	北海道	幌内炭山之図 第二右滝之沢左本沢ニ至ル輪車路ヲ望ム	同	p10
118	北海道	幌内鉄道 江別川橋梁之図	同	p7
119	北海道	同　豊平河鉄橋之図	同	p7
120	北海道	同　第三若竹町第四熊碓隧道之図	同	p8
121	北海道	同　野幌陸橋之図	同	p6
122	北海道	同　江別橋東広原之図	同	p8
123	新潟県	清水越開道式場之図	21.5×27.1	p79
124	東京都	白尾長鶏　雄一羽	27.0×21.2	
125	東京都	小銃製造所之景	21.0×27.2	p134
126	東京都	小銃庫及小銃製造所之景	同	p135
127	東京都	小銃製造所内景	同	p135
128	東京都	後楽園唐門之景	同	p144
129	東京都	後楽園中大泉水北辺之景	同	p144
130	東京都	後楽園中涵徳亭之景	同	p145
131	東京都	後楽園中観音堂遠望之図	21.2×27.4	
132	東京都	後楽園中得仁堂之景	21.2×27.1	p145
133	東京都	後楽園中滝水流出之景	同	
134	東京都	後楽園中滝之景	同	p146
135	東京都	後楽園中円月橋之景	同	p146
136	東京都	後楽園中八卦堂之景	同	p146
137	東京都	後楽園中松林遠望之景	同	p144

第10帖　（表題なし）　75.5×53.5

1	青森県	青森近傍鉄道線路積雪写十枚　排雪機関車二台青森駅ヲ発シ野辺地駅へ進行ノ際、積雪ノ為メ機関ヲ損シ運転自由ナラザルヲ以テ更ニ救援機関車二台ヲ発シ青森駅へ引キ戻シタル図	21.3×26.9	p20
2	青森県	同　野辺地小湊間浜子(上野ヨリ四百卅七哩)ニ於テ排雪機関車雪中ニ埋没シタル図	同	p20
3	青森県	同　野辺地小湊間(上野ヨリ四百卅七哩二鎖)所在ノ「スノーセット」(線路雪除家)雪中ニ埋モレタル図	同	p21
4	青森県	同　排雪機ヲ付シタル嚮導機関車弐台、野辺地小湊間(上野ヨリ四百卅一哩二鎖)「スノーセット」ニ於テ積雪ノ為メ阻止セラレタル図	同	p21
5	青森県	同　野辺地小湊間(四百廿九哩五十八鎖及四百卅一哩二鎖)所在ノ「スノーセット」見透ノ図	同	
6	青森県	同　野辺地小湊間(上野ヨリ四百廿九哩十二鎖)所在ノ「スノーセット」口外積雪排除後ノ図	同	
7	青森県	同　野辺地駅吹雪後ノ図	同	p21
8	青森県	同　野辺地小湊間(上野ヨリ四百卅四哩四分ノ三)ニ於テ雪中ニ埋没セル嚮導機関車ヲ発掘スル図	同	p22
9	青森県	同　同上前面線路上ノ積雪排除ノ図	同	p22
10	青森県	同　四百五十三哩七十鎖(青森手前一哩許)列車進行中猛烈ナル吹雪ノ為メ進退途ヲ失ヒ漸々雪中ニ埋マル図	同	p22
11	東京都	大日本東京市街写真　十四枚	42.2×38.3	p150
12	東京都	同	41.4×41.9	p151
13	東京都	同	42.9×44.4	p150
14	東京都	同	42.8×45.0	p152
15	東京都	同	43.3×46.7	p153
16	東京都	同	43.1×41.8	p153
17	東京都	同	43.6×41.2	p151
18	東京都	同	43.8×47.8	p150
19	東京都	同	43.5×46.0	p153
20	東京都	同	42.2×41.1	p152
21	東京都	同	43.1×42.7	p152
22	東京都	同	43.6×43.5	p152
23	東京都	同	43.4×44.2	p152
24	東京都	同	41.1×51.2	p150
25	大阪府	大阪市内紡績会社写真八枚　平野紡績株式会社	24.0×29.6	p290
26	大阪府	同　天満織物株式会社	同	p291
27	大阪府	同　福島紡績株式会社	同	p291
28	大阪府	同　天満紡績株式会社	同	p292
29	大阪府	同　金巾製織株式会社	同	p292
30	大阪府	同　日本紡績株式会社	同	p293
31	大阪府	同　摂津紡績株式会社	同	p293
32	大阪府	同　大阪紡績株式会社	同	p294
33	広島県	ナシ（二葉山から広島城方面を望む図）（２枚つなぎ）	19.5×49.7	p366
34	広島県	ナシ（二葉山から広島城方面を望む図）（２枚つなぎ）	19.5×51.1	p364
35	広島県	ナシ（二葉山から広島城方面を望む図）（２枚つなぎ）	19.5×52.9	p366
36	広島県	広島市東練兵場ニ於テ第一師団第二連隊第八中隊散兵之図	21.2×27.5	p362
37	広島県	広島市二葉山ニ於テ第一師団第二連隊第八中隊整列之図	同	p363
38	広島県	広島市二葉山ヨリ撮影　一	20.4×26.7	
39	広島県	同　二	同	
40	広島県	同　三	同	
41	広島県	同　四	同	
42	広島県	同　五	同	
43	広島県	同　六	同	
44	広島県	ナシ	同	
45	広島県	ナシ（広島県浅野別邸景色写真）	同	p358

46	広島県	広島県景色写真	21.4×27.3	
47	広島県	同	同	p368
48	広島県	同	同	p368
49	広島県	広島県浅野別邸景色写真　（２枚つなぎ）	23.1×58.5	p360
50	広島県	同	23.1×57.0	p360
51	広島県	同	20.3×56.9	p358
52	広島県	同	同	p358
53	広島県	備後写真　後山ヨリ仙酔島ヲ望ムノ景	21.2×26.8	p379
54	広島県	同　城山ヨリ北面ヲ写シタル景	同	p378
55	広島県	同　城山ヨリ東海面ヲ望ムノ景	同	p378
56	広島県	同　城山ヨリ南海面ヲ望ムノ景	同	p379
57	広島県	同　医王寺ヨリ港内ヲ見タル景	同	p381
58	広島県	同　大明神ヨリ港内ヲ見タル景	同	p381
59	広島県	同　要害ヨリ南海面ヲ望ムノ景	同	p382
60	広島県	同　要害ヨリ西北方ヲ見タル景	同	p382
61	広島県	同　玉島ヨリ港内ヲ写シタル景	同	p381
62	広島県	同　仙酔島ヨリ西南方ヲ望ム景	同	p380
63	広島県	同　仙酔島ヨリ西面ヲ望ム景	同	p380
64	広島県	同　仙酔島ヨリ北面ヲ望ム景	同	p380
65	広島県	同　沼名前神社	同	p378
66	広島県	同　阿伏兎岬ノ景	同	p382
67	広島県	ナシ（鞆港内）	同	
68	青森県	東京青森間鉄道第五区線中鉄橋隧道ノ写真二十枚　野内隧道	42.0×52.3	p19
69	青森県	同　久栗坂隧道	42.8×52.5	p19
70	青森県	同　青森停車場	38.7×51.5	p18
71	岩手県	同　滝見隧道	41.9×52.8	p23
72	岩手県	同　滝見橋	42.8×54.1	p23
73	岩手県	同　十文字川鉄橋	39.6×51.4	p24
74	岩手県	同　小中島隧道	40.4×51.8	p24
75	岩手県	同　馬淵川鉄橋	同	p24
76	岩手県	同　馬淵川鉄橋	37.8×53.3	p25
77	青森県	同　浅虫全景	39.4×52.0	
78	岩手県	同　馬淵川鉄橋　一	37.6×52.0	p25
79	岩手県	同　馬淵川鉄橋　二	41.4×53.2	p25
80	岩手県	同　野中隧道	41.0×52.5	p26
81	青森県	同　館橋築堤	42.4×52.1	
82	岩手県	同　目時隧道	42.6×52.4	p23
83	岩手県	同　鳥越隧道	53.9×44.4	p26
84	青森県	同　善知鳥隧道	45.5×53.3	p19
85	青森県	同　土屋隧道	41.4×53.7	
86	青森県	同　小湊湾	36.4×51.2	
87	青森県	同　野辺地川鉄橋	40.7×52.6	p18

第11帖　（表題なし）　36.0×50.5

1	器物	砲兵本廠ニ於ケル奉迎関係製作品　（「奉迎」字看板）	21.7×27.6	
2	器物	同（菊御紋章刺繡）	同	
3	器物	同（菊紋章・五七桐紋章）	同	
4	器物	同（外輪船の工作物）	同	
5	器物	同（蟹の工作）	同	
6	器物	同（蛾の工作）	同	
7	器物	同（生け花の工作）	同	
8	器物	同　花瓶（工作）	同	
9	器物	同　木菟（工作）	同	
10	器物	同　兜　（工作）	同	
11	器物	同　牡丹（工作）	同	
12	器物	同　蘇鉄（工作）	同	
13	器物	同　雪達磨・人形（工作）	同	
14	器物	同　鶴亀松竹梅（工作）	27.7×22.0	
15	器物	同　四阿屋及庭（工作）	21.6×27.6	
16	器物	同　蜻蛉（工作）	同	
17	広島県	広島鎮台分列式之図	21.8×26.5	p355
18	広島県	同　其二	同	p355
19	広島県	同　其三	同	p355
20	広島県	厳島弁天鳥居	同	p369
21	広島県	厳島千畳敷	同	p374
22	広島県	厳島弁天	同	p372
23	広島県	厳島紅葉谷	同	p375
24	広島県	呉港軍港司令部石段	同	p376
25	広島県	呉港造船所ポンプ作事場	同	p376
26	広島県	呉港倉庫	同	p377
27	広島県	呉港汽車土石ヲ運ブ図	同	p377
28	広島県	呉港人夫労働之図	同	p377
29	長崎県	佐世保港内	同	p393
30	長崎県	佐世保港兵舎	同	p394
31	長崎県	同	同	p394
32	長崎県	佐世保港ドック見立所	同	p394
33	長崎県	長崎女夫川	同	p391
34	長崎県	同	同	p391
35	鹿児島県	鹿児島磯海浜	同	p410
36	鹿児島県	同	同	p410
37	鹿児島県	西郷氏墓所	同	
38	沖縄県	那覇波ノ上ヨリ崎樋ヲ望ム景	同	p420
39	沖縄県	那覇波ノ上ヨリ人民ノ墓所ヲ望ム景	同	p420
40	沖縄県	那覇松原ヨリ城嶽ノ辺ヲ望ム景	同	p419
41	沖縄県	那覇泉崎橋之景	同	p418
42	沖縄県	那覇崇元寺橋	同	p417
43	沖縄県	那覇崇元寺門前	同	p417
44	沖縄県	那覇城嶽ヨリ首里ヲ望ム景	同	p419
45	沖縄県	那覇松原ヨリ楚辺原辺ヲ望ム景	同	p418
46	沖縄県	那覇久米村ヨリ海浜ヲ望ム景	同	p419
47	沖縄県	琉球国王歴代墓所	同	p416
48	沖縄県	那覇松原ヨリ垣ノ花ヲ望ム景	同	p418
49	沖縄県	首里城門	同	p413
50	沖縄県	同	同	p412
51	沖縄県	首里城	同	p415
52	沖縄県	中城古城之全写	同	p416
53	沖縄県	中城巌石	同	
54	沖縄県	中城城内ヨリ遠望之景	同	
55	沖縄県	普天間権現	同	
56	沖縄県	琉球人	同	p420
57	沖縄県	琉球人之踊	同	p421
58	沖縄県	同	同	p421
59	沖縄県	同	同	p421

第12帖　表題「各種写真」　36.0×52.2

1	沖縄県	首里城第四番門及同門前山第一泉出スル所	9.4×13.9	p414
2	沖縄県	首里城中物見台ヨリ城之東西ヲ望ミタル所	同	
3	沖縄県	首里城中物見台ヨリ城之西南下ヲ望ミタル所	同	
4	沖縄県	首里城正殿　正面	同	
5	沖縄県	首里城中正殿ニ向カイタル左側書院ヲ望ミタル所	同	
6	沖縄県	首里城外弁天及ヒ旧藩主位牌所円覚寺山門ヲ望之図	同	
7	沖縄県	首里城第七番即正殿前奉神門	同	p414
8	沖縄県	首里城第五番之門	同	p414
9	沖縄県	首里城中正殿ニ向ヒタル左側之廊ヲ望ミタル所	同	
10	不明	ナシ　（碇泊中の船、外国港か）	17.6×26.1	
11	東京都	太陽面斑点及金星触象　（印刷物）		p163
12	東京都	ナシ　（金星の太陽面通過の写真）	14.7×13.6	p163
13	京都府	ナシ　（京都御所）	21.0×16.9	p279
14	京都府	ナシ　（京都御所庭園）	17.4×21.0	p280
15	京都府	ナシ　（京都御所御鳳輦舎）	16.9×19.9	p280
16	京都府	ナシ　（京都御所御馬見所）	同	p280
17	不明	ナシ　（横須賀港ドック）	18.8×24.3	
18	不明	ナシ　（横須賀港での進水式）	同	
19	不明	同	同	
20	不明	同	同	
21	不明	ナシ　（木製橋）	18.6×27.3	
22	不明	同	19.8×27.8	
23	絵画	ナシ　（各国要人の会議）	20.5×25.0	
24	兵庫県	但馬出石小学校　前面一	9.0×14.0	p300
25	兵庫県	同　右側面二	同	p300

26	兵庫県	同　左側面三	同	p300
27	栃木県	日光山三仏堂建築ノ図	20.8×25.2	p52
28	山形県	山形県庁	17.5×23.3	p32
29	山形県	山形県警察署	17.2×21.0	p33
30	山形県	山形県製糸場　内部	17.5×22.5	
31	山形県	鶴岡朝暘学校	18.2×22.7	p36
32	山形県	鶴岡明倫学校	同	p36
33	山形県	山形県招魂社	17.6×23.6	p38
34	山形県	山形公立病院	同	p34
35	山形県	山形県師範学校寄宿舎	17.6×22.6	p35
36	山形県	山形県師範学校	同	p35
37	山形県	山形県授産所	8.2×23.3	p40
38	山形県	山形県製糸場　外面	同	p40
39	山形県	常盤橋	同	p42
40	山形県	三川橋	同	p44
41	山形県	千歳橋	同	p42
42	山形県	東雲橋	同	p44
43	山形県	松川橋	同	p43
44	山形県	相生橋	同	p42
45	山形県	角川橋	同	p44
46	静岡県	反射炉古跡　(伊豆反射炉)	18.3×21.7	p246
47	絵画	ナシ　(山田長政渡航の船図)	20.0×15.4	
48	静岡県	ナシ　(加嶋学校)	19.9×26.6	p248
49	京都府	西京清水本堂ノ図	21.0×27.0	
50	京都府	西京清水山門ノ図	同	
51	京都府	ナシ　(木戸孝允墓)	26.9×20.8	
52	京都府	西京円山温泉ノ図	21.0×27.0	p287
53	京都府	西京五条橋ノ図	同	p288
54	京都府	西京四条ノ大橋	同	p288
55	京都府	南門前新道路ノ図	17.9×21.4	
56	京都府	旧院両御門ノ図	同	p281
57	京都府	烏丸通土墨(塁)門	同	p282
58	京都府	蛤御門内ノ図　乙	同	p282
59	京都府	蛤御門内ノ図　甲	同	p282
60	京都府	高倉橋ノ図　甲	同	p284
61	京都府	高倉橋ノ図　乙	同	p285
62	京都府	高倉橋ノ図　丙	同	p285
63	京都府	高倉橋ノ図　丁	同	p285
64	滋賀県	滋賀県庁ノ図	21.7×18.0	p265
65	滋賀県	近江八景ノ内　唐崎ノ松	21.0×27.0	p266
66	滋賀県	同　粟津晴嵐	同	p267
67	滋賀県	同　瀬田ノ唐橋	同	p267
68	滋賀県	近江竹生島	同	
69	石川県	金沢二ノ丸	同	
70	福井県	石川県第三師範学校	22.0×27.7	p214
71	福井県	石川県第三女子師範学校	同	p215
72	福井県	石川県福井ノ医学所	同	p215
73	富山県	越中国富山神通川舟橋	13.6×19.5	p198
74	富山県	石川県越中国新川郡水橋町立山ノ図	同	p197
75	富山県	越中富山神通川舟橋	同	p198
76	富山県	石川県越中国新川郡笠木村ヨリ立山等眺望ノ図	同	
77	富山県	石川県越中国新川郡大沢野ト唱ル原野ノ図	同	
78	富山県	石川県越中国新川郡常願寺川通向新庄村等害所ノ図	同	
79	富山県	石川県越中国新川郡東岩瀬湊	同	p201
80	富山県	石川県越中国新川郡町袋釜屋前ヨリ立山眺望ノ図　浄土山 別山 立山 剣ヶ嶽	同	
81	富山県	石川県越中国新川郡東岩瀬湊ノ図	同	
82	石川県	石川県第一師範学校　(2枚つなぎ)	12.2×32.2	p209
83	富山県	石川県越中国新川郡昨十年常願寺川洪水ニ際シ堤防破壊シ町袋村領耕地内へ入川ノ痕迹	13.8×19.6	p204
84	石川県	石川県金沢医学所	15.0×18.4	p210
85	石川県	石川県中学師範学校	19.5×24.2	p210
86	富山県	越中国新川郡泊町村八幡社　其一	11.3×14.6	p194
87	富山県	越中国新川郡泊町村八幡社　其二	同	p194
88	富山県	越中国新川郡愛本飛橋　其三北海眺望ノ図	同	p193
89	富山県	越中国新川郡舟見村ノ景	同	p195
90	石川県	石川県第一女子師範学校　(2枚つなぎ)	12.6×30.2	p209
91	富山県	越中国新川郡愛本飛橋　其一橋ノ景	11.5×14.2	p193

92	富山県	越中国新川郡温泉之景　其二浴室ノ景	同	p199
93	富山県	越中国新川郡小川温泉ノ景　泉源ノ景	同	p199
94	富山県	越中国新川郡山崎村元(文)理小学校	同	p187
95	富山県	越中国新川郡母(舟)見村八幡社ノ図	同	p195
96	富山県	越中国新川郡愛本飛橋　其二側社(斜)面ノ図	同	p193
97	富山県	越中国射水郡新湊三ヶ新村正本校ノ図	同	p189
98	富山県	越中国新川郡入膳村自卑小学校	同	p188
99	富山県	越中国射水郡伏木港ノ図	同	p202
100	富山県	越中国新川郡泊町村ノ景	同	p194
101	富山県	越中国高岡郷社関野神社ノ図	同	p191
102	富山県	越中国新川郡入膳村ノ景	同	p195
103	富山県	越中国高岡国幣中社射水神社ノ図	同	p190
104	富山県	越中国高岡育英校ノ図	同	p186
105	富山県	越中国射水郡氷見唐島ヨリ灘浦ヲ眺ム景	同	p202
106	富山県	越中国射水郡布施湖ノ景	同	p203
107	富山県	越中国射水郡放生津潟ノ景	同	
108	富山県	越中国射水郡朝日村上日寺ノ景　二枚ノ内観音堂	同	p192
109	富山県	越中国布施円山大友家持卿遊覧ノ地図	同	
110	富山県	越中国射水郡布施湖簀洩(曳)漁ノ図	同	p203
111	富山県	越中国射水郡太田村義経晴雨ノ景	同	p204
112	富山県	越中国射水郡大門橋ノ図	同	p201
113	富山県	越中国高岡瑞龍寺ノ図	同	p191
114	富山県	越中国射水郡朝日村上日寺ノ図　二枚ノ内本堂	同	p192
115	富山県	越中国新川郡三日市村県社ノ景	同	
116	富山県	越中国射水郡島村轟用水ノ図	同	p204
117	富山県	越中国新川郡三日市村県社ノ景	同	p196
118	富山県	越中国高岡町公園ヨリ二上山ヲ望ム景	同	p202
119	富山県	越中国新川郡三日市村景	同	p196
120	富山県	越中国射水郡伏木修静校ノ図	同	p187
121	富山県	越中国新川郡下村木村大泉寺ノ景	同	p197
122	富山県	越中国新川郡天神野新村高円堂ノ景	同	p201
123	富山県	越中国新川郡浦山村ノ景	同	p200
124	富山県	越中国新川郡浦山村々社ノ景	同	p200
125	富山県	越中国新川郡魚津町区務所ノ図	同	p190
126	富山県	越中国新川郡若栗村小学校ノ図	同	p188
127	富山県	越中国新川郡三日市村天満社ノ景	同	p196
128	富山県	越中国新川郡黒部川出島堤防ノ景	同	p205
129	富山県	越中国新川郡三日市村八幡社ノ景	同	
130	富山県	越中国新川郡魚津小学校建築ノ景況	同	p189
131	富山県	越中国砺波郡細島村籠渡シ場ヨリ眺望ノ景	同	p207
132	富山県	越中国砺波郡下梨村鎮橋島村地内ヨリ眺望ノ景	同	p208
133	富山県	越中国砺波郡下梨村鎮橋同所川上ヨリ眺望ノ景	同	p208
134	富山県	越中国砺波郡庄金剛寺村弁才天青島村堤上ヨリ眺望ノ景	同	p205
135	富山県	越中国砺波郡下梨村鎮橋同所川上島地内ヨリ眺望ノ景是ハ土人一人シテ籠渡ノ景	同	p207
136	富山県	越中国砺波郡青島村領字弁才天前堤防同所下モ堤上ヨリ眺望ノ景	同	p205
137	富山県	越中国砺波郡下梨村鎮橋同所川上島地内ヨリ眺望ノ景	同	p208
138	富山県	越中国砺波郡新屋村籠渡シ同所乗場ヨリ眺望ノ景	同	p206
139	新潟県	新潟県下外波駅親知ラズノ図	21.0×27.0	
140	新潟県	新潟県下蒲原郡田野村石油	同	p179
141	新潟県	第六大区第一中学区第十一番小学曽根校　北面	同	p177
142	新潟県	第六大区第一中学区第十一番小学曽根校　西面	同	p177
143	新潟県	越後国蒲原郡内野駅西川水下底橋五門之真景	同	
144	新潟県	佐渡国雑谷郡	18.8×22.8	
145	新潟県	ナシ	同	
146	新潟県	新潟湊之景	20.5×27.0	p180
147	新潟県	新潟信濃川ノ景	同	p180
148	新潟県	新潟医学校之図	同	p176

149	新潟県	新潟医学所之図	同	p176
150	新潟県	新潟農事試験場ノ図	同	p174
151	新潟県	新潟学校ノ図	同	p175
152	新潟県	同	同	p175
153	新潟県	新潟公園地ノ図	同	p180
154	新潟県	新潟県下弥彦本社ノ図	同	p181
155	新潟県	同　弥彦神社ノ図	同	p181
156	新潟県	同　出雲崎ノ図	同	p181
157	新潟県	米山峠鯨波ノ図	同	
158	新潟県	米ケ峠ヨリ鉢崎ノ景	同	
159	新潟県	新潟県大田切り坂	同	
160	長野県	信濃国米子瀑布之図	18.0×14.2	p234
161	長野県	信濃国水内更級両郡橋ノ図	8.9×12.6	p226
162	長野県	信濃国信夫龍ノ両村ニ渉ル天竜川架橋之図	同	p227
163	長野県	信濃国水内郡野尻湖ノ図	同	
164	長野県	長野町師範学校之図	14.2×18.2	p222
165	長野県	水川(内)橋ノ図　一名久米路橋	同	p226
166	長野県	姥捨山観月堂之図	同	p227
167	長野県	信濃国長野町ノ図	同	p225
168	長野県	渋温泉字地獄之図	同	
169	長野県	浅間山中神瀑布ノ図	同	
170	長野県	八幡村武分神社之図	同	p227
171	長野県	北震瀑布之図	同	p234
172	長野県	野尻湖之図	同	
173	長野県	戸隠神社奥社之図	同	p228
174	長野県	聖山社之真景	同	p229
175	長野県	長野町大勧進之図	同	p225
176	長野県	戸隠神社之図	同	p228
177	長野県	長野町師範学校及勧工場之図	同	p222
178	長野県	信濃国犀川ニ架スル水内更級両郡橋之図	同	p226
179	長野県	長野警察署之図	同	p223
180	長野県	米子瀑布之図　其二	同	p234
181	長野県	戸隠神社奥社之図	18.1×23.9	p229
182	長野県	善光寺本堂之図	19.3×24.2	
183	長野県	同	19.3×24.2	
184	長野県	善光寺山門之図	19.3×24.2	
185	長野県	真田城之図	19.3×24.2	p224
186	長野県	上田行在所ノ図	20.8×27.0	p223
187	群馬県	碓氷峠屏風岩ノ図	同	
188	群馬県	前橋駅舟橋引島ノ遠景	同	p83
189	群馬県	前橋新道之図	同	
190	群馬県	新町屑糸紡績所之図	同	
191	埼玉県	埼玉県行在所之図	同	p90
192	埼玉県	埼玉県庁之図	同	p89
193	オーストラリア	ニウソースウエールス部号外　ジグザググリヅゴウ山谷之図	26.0×35.3	
194	オーストラリア	同　ジグザグパノラモノ図	同	
195	オーストラリア	ニウソースウエールス部第十八号　ジグザグリヅゴウ山谷之図	同	
196	オーストラリア	同　十七号　同	同	
197	オーストラリア	同　十六号　ジグザクリヅゴウ山谷北ヲ望ム図	同	
198	オーストラリア	同　十二号　シグザグリヅゴウ山谷雪後之図	同	
199	オーストラリア	同　十一号　ジグザグ前掲ノ図	同	
200	オーストラリア	同　五号　ヘネルヅニービアン河橋ノ図	同	
201	オーストラリア	同　四号　同	同	
202	オーストラリア	同　三号　同	同	
203	オーストラリア	同　二十三号　グロス山谷之図	26.5×21.0	
204	オーストラリア	同　二十二号　同	26.0×35.3	
205	オーストラリア	同　二十一号　同	同	
206	オーストラリア	同　二十号　同	同	
207	オーストラリア	同　十九号　同	同	
208	オーストラリア	同　十八号　同	同	
209	オーストラリア	同　十七号　同	同	
210	オーストラリア	同　十六号　グロス山谷中周囲18フィートノブリュー護謨樹ノ図	26.5×21.0	
211	オーストラリア	同　号外　グロス山谷之図	34.7×26.0	
212	オーストラリア	同　号外　同	21.1×26.4	
213	オーストラリア	同　十号　同	同	
214	オーストラリア	同　九号　一樹丘之図	20.6×36.4	
215	オーストラリア	同　八号グロス山谷ノ図	26.5×21.3	
216	オーストラリア	同　七号　同	21.4×26.3	
217	オーストラリア	同　六号　同	同	
218	オーストラリア	同　五号　同	同	
219	オーストラリア	同　四号　同	同	
220	オーストラリア	同　三号　同	同	
221	オーストラリア	同　二号　同	34.9×26.0	
222	オーストラリア	同　号外　ストーンダウラレル小河ヒクトン桟橋ノ図	同	
223	オーストラリア	同　三十六号　バソルスト停車場東ヲ望ム図	同	
224	オーストラリア	同　三十五号　バソルスト停車場南ヲ望ム図	同	
225	オーストラリア	同　三十四号　バソルスト停車場北ヲ望ム図	同	
226	オーストラリア	同　三十三号　ハソルストマツカレイル河橋ノ図	同	
227	オーストラリア	同　三十二号　マツカーレイル河橋ノ図	同	
228	オーストラリア	同　三十一号　同	同	
229	オーストラリア	同　三十号　ウラルヘラワンク停車場ノ図	同	
230	オーストラリア	同　二十九号　ウラルヘラワンク停車場北ヲ望ム図	同	
231	オーストラリア	同　二十八号　ファルモス小河鉄道桟橋ノ図	同	
232	オーストラリア	同　二十四号　コーフロールン停車場南ヲ望ム図	同	
233	オーストラリア	同　二十三号　モルワリユー小河鉄道桟橋ノ図	同	
234	オーストラリア	同　二十二号　同	同	
235	オーストラリア	同　二十一号　同	同	
236	オーストラリア	同　二十号　ボクセルス小河鉄道桟橋之図	同	
237	オーストラリア	同　十三号　バルベルス小河鉄道桟橋之図	同	
238	オーストラリア	同　十二号　バルブロー小河鉄道桟橋之図	同	
239	オーストラリア	同　十一号　バルベス小河鉄道桟橋之図	同	
240	オーストラリア	同　十号　シトニー府汽車修繕廠ノ図	同	
241	オーストラリア	同　九号　汽車廠機関工場ノ図	同	
242	オーストラリア	同　九号　ジブラルタル隧道ノ図	同	
243	オーストラリア	同　八号　ピートン隧道ノ図	同	
244	オーストラリア	同　六号　ピートン鉄道桟橋ノ図	同	
245	オーストラリア	同　五号　同	同	
246	オーストラリア	同　四号　ピートン停車場西ヲ望ム図	同	
247	オーストラリア	同　三号　シドニー府停車場西ヲ望ム図	同	
248	オーストラリア	同　一号　バラマザー停車場北ヲ望ム図	同	
249	絵画	カピテーン・ゼームス・クーク氏肖像	31.5×28.2	
250	器物	東京府下　起立工商会社　紫銅香炉表面ノ図	27.0×20.6	
251	京都府	祐井之碑	21.2×17.9	
252	京都府	同	18.0×21.1	
253	熊本県	ナシ（西南戦争政府軍将校写真）	20.7×27.0	p406
254	熊本県	ナシ（同）	同	p406
255	熊本県	ナシ（同）	同	p406
256	熊本県	ナシ（同）	同	p407
257	熊本県	ナシ（同）	同	p407
258	熊本県	ナシ（同）	同	p407
259	不明	ナシ（閲兵式）	同	
260	不明	ナシ（同）	同	
261	不明	ナシ（同）	同	
262	不明	ナシ（騎兵）	同	
263	群馬県	富岡製糸場器械之図	同	
264	群馬県	同	同	
265	群馬県	同	同	
266	群馬県	富岡製糸場之図	同	p72
267	群馬県	同	同	p71
268	東京都	向島堤遠景	同	
269	東京都	向島桜之遠景	同	

270	東京都	向島桜之景	同	
271	東京都	二重橋之景	同	p148
272	東京都	田安目付	同	p147
273	東京都	逆井架橋	同	p140
274	不明	ナシ　（風景）	同	
275	不明	ナシ　（風景）	同	
276	千葉県	大和田原御繰練之図	同	p116

後　記

この写真帖については巻頭の概説でも触れたように、すでに宮内庁書陵部の目録に掲載されていてその存在は知られていたが、昭和51年に故小西四郎氏によりその一部が紹介されたことから、全容の公表を望む声があった。はじめにその刊行を企画されたのは宮内庁書陵部に勤務されていた故川田貞夫氏であった。しかし、氏は編集の着手後まもなく俄に病没されてしまった。このため、下記書陵部の同僚らがその編集を引き継ぎ、今回の刊行にいたったものである。

執筆に当たっては、概ね巻末に掲げた参考文献によって記したが、なお不明の諸点は各県のしかるべき機関や個人に問い合わせて成稿した。回答を寄せられた諸機関等には厚くお礼を申し上げたい。

過去の風物や人々の営為の跡を如実に伝える写真には、文献資料とはまた異なる価値のあることはいうまでもない。この『各種写真』もまた、明治時代の一時期に限られたものながら、それぞれの地方における近代日本の歩みを偲ばせるものがある。この写真集の出版が明治史研究の一助ともなればと願う次第である。

平成12年10月

執筆者
植山　淳
梶田　明宏
高橋　勝浩
武部　敏夫
中村　一紀
本田　慧子

（協力者　國學院大学学生 小崎直史・中村一眞・森　貴昭）

明治の日本－宮内庁書陵部所蔵写真－

2000年(平成12)11月20日　第1刷発行
2007年(平成19)10月10日　第4刷発行

編　者　武　部　敏　夫
　　　　中　村　一　紀

発行者　前　田　求　恭

発行所　株式会社吉川弘文館

郵便番号113－0033
東京都文京区本郷7丁目2番8号
電話03－3813－9151〈代表〉
振替口座東京00100－5－244

印刷＝東京印書館／製本＝誠製本

装幀＝右澤康之

ISBM978-4-642-03696-2